T4-AFY-134

Stephan Balkenhol

GALERIE BERND KLÜSER • GALERIE RÜDIGER SCHÖTTLE
CENTRE EUROPÉEN D'ACTIONS ARTISTIQUES CONTEMPORAINES

Spinne
Araignée
1996
Pockholz
bois de gaïac,
H 108 x ø 29 cm

Sommaire

Inhalt

Préface

par Robert Grossmann

Parmi les projets mis en œuvre par le Centre Européen d'Actions Artistiques Contemporaines, la collection de sculpture que nous constituons depuis 1988 dans le Parc de Pourtalès à Strasbourg est l'objet d'un soin tout particulier.

Pour nous, donner à l'art d'aujourd'hui la place qui lui revient, c'est tout d'abord l'accueillir dans des lieux qui nous sont chers pour leur signification historique et leur valeur sentimentale, lesquelles sont en Alsace très souvent liées.

C'est aussi, à chaque nouvelle installation, faire le pari que l'artiste invité sache s'ouvrir, de toute sa sensibilité singulière, à "l'esprit du lieu" et qu'à son tour, ce dernier apparaisse comme l'écrin naturel de son œuvre.

A cet égard, notre première collaboration avec Stephan Balkenhol a comblé nos espérances puisque sa sculpture, *A travers l'arbre*, transfigure la clairière qu'il lui a donnée pour site et fait désormais de ce lieu, jusque là peu fréquenté, l'un des moments forts de la visite de ce parc.

Le talent fécond de Stephan Balkenhol et, aussi, un hasard favorable ont concouru à ce que le bon accueil du public et des amateurs peut nous permettre d'appeler une réussite. Je me souviens ainsi que, lors de notre première entrevue après sa découverte de Pourtalès, Stephan Balkenhol nous présenta une dizaine de fiches de bristol sur lesquelles, de quelques traits de plume et de crayon de couleur, il avait créé tout un peuple de personnages, dressés au sommet d'arbres, d'êtres à têtes d'animaux appuyés contre leurs troncs ou étendus à leur ombrage, comme si, depuis toujours, ils avaient été des hôtes – encore inaperçus – de ce lieu.

Comme nous commentions ces propositions, imaginant l'endroit de leur mise en place ou examinant quelque question technique, il nous montra le projet qu'il avait gardé pour la fin. Il lui avait été inspiré par deux énormes morceaux d'un arbre exotique qu'il avait acquis en vue d'une œuvre future. Nous avons alors immédiatement senti que, pour lui comme pour nous, cette proposition était la plus prometteuse et, sans que soient déterminées encore précisément les figures qu'il allait y sculpter, une évidence de justesse unanimement partagée aboutit à un accord pour sa réalisation.

Vorwort

Robert Grossmann

Die seit 1988 im Schloßpark von Pourtalès in Straßburg entstehende Skulpturensammlung ist ein Projekt, dem das Europäische Zentrum für Zeitgenössische Kunst (CEAAC) ganz besondere Aufmerksamkeit widmet.

Der modernen Kunst den ihr gebührenden Platz einräumen, das heißt für uns in erster Linie, ihr Orte zu überlassen, die uns wegen ihrer historischen Bedeutung und ihres sentimentalen Werts - beides ist im Elsaß oft eng miteinander verbunden - am Herzen liegen.

Das heißt aber auch, bei jeder neuen Installation die Herausforderung einzugehen, daß der geladene Künstler mit seinem ihm eigenen Einfühlungsvermögen sich dem «Geist des Ortes» zu öffnen vermag, daß dieser Ort umgekehrt aber auch wie der natürliche Rahmen des Werkes erscheint.

In dieser Hinsicht erfüllte unsere erste Zusammenarbeit mit Stephan Balkenhol all unsere Hoffnungen : Seine Plastik «A travers l'arbre» *(«Durch den Baum») verklärt die Lichtung, auf der sie steht, und macht einen zuvor kaum besuchten Ort zu einem Höhepunkt des Parkbesuchs.*

Das außergewöhnliche Talent Stephan Balkenhols und ein glücklicher Zufall sind verantwortlich für das, was man aufgrund der positiven Resonanz von Kunstliebhabern und breiter Öffentlichkeit als Erfolg bezeichnen darf. Bei unserem ersten Gespräch nach einer Kennenlerntour durch Pourtalès präsentierte Stephan Balkenhol uns ein Dutzend kleiner Pappkärtchen, auf denen er mit wenigen Feder- und Buntstiftstrichen eine Fülle von Figuren gezeichnet hatte. Figuren in Baumwipfeln, Wesen mit Tierköpfen, an Baumstämmen lehnend oder in ihrem Schatten liegend, so als ob sie schon immer Gäste dieses Ortes waren, nur eben unbemerkt.

Während wir die Vorschläge kommentierten, uns ihren Standort vorstellten oder über einer technischen Frage grübelten, zeigte er uns ein Projekt, das er bis zum Schluß zurückgehalten hatte. Die Idee dazu war ihm durch zwei riesige Hälften eines exotischen Baumes gekommen, den er mit Blick auf ein künftiges Werk erworben hatte. Wir spürten sofort, dieser Vorschlag war für beide Seiten der vielversprechendste.

Pourtant, même si elles occupent - ou devraient occuper ! - une place importante dans la vie d'un artiste, les commandes publiques ne révèlent cependant qu'un aspect ou, au mieux, un moment de sa pensée. C'est en effet la qualité des travaux qui les ont précédées, la variété des voies explorées en ceux-ci qui promet la pertinence de leur inscription durable dans l'espace quotidien. Et les œuvres qui leur sont contemporaines ou qui leur succèdent éclairent la démarche de l'artiste plus précisément que l'heureuse convenance de telle de ses pièces dans une collection.

Aussi avec l'exposition que nous organisons au CEAAC - et qui comporte notamment des pièces exposées ce printemps par les galeries Bernd Klüser et Rüdiger Schöttle à Munich - nous avons voulu rendre hommage à Stephan Balkenhol, faire partager le bonheur que nous dispense sa vitalité créatrice et rendre mieux perceptibles les lignes de forces à partir desquelles elle se déploie.

Ayant choisi le bois comme l'élément où formuler sa pensée de sculpteur, Balkenhol le travaille avec une telle maîtrise que ce matériau résistant en vient paradoxalement à donner à ses figures la vibration vivante du dessin.

Et, bien loin de tout pathétique ou de quelque virtuosité illusionniste, les regards dont il anime ses personnages nous font accéder à un univers dans lequel, si rugueux que soit leur épiderme, si fantaisistes que puissent être parfois leurs situations, voire fantastique leur aspect, nous éprouvons à leur égard une espèce de fraternité aussi profonde qu'éloignée.

L'art de Balkenhol, parce qu'il donne une présence égale à des figures hybrides rappelant des dieux égyptiens en habits d'aujourd'hui, à un Eden où s'ébattent sereinement hommes et animaux et à des visages anonymes que nous aurions pu croiser sans les voir, semble alors empreint de cette *aura* en laquelle Walter Benjamin, dans *Paris, capitale du XIX*e *siècle. Le livre des passages*, voyait : "...l'apparition d'un lointain, quelque proche que puisse être ce qui l'évoque." ■

Obwohl die künftigen Skulpturen noch nicht genau bestimmt waren, fanden alle ihn ideal und waren sich über die Realisierung dieses Projekts einig.

Auch wenn sie einen wichtigen Platz im Leben eines Künstlers einnehmen - bzw. einnehmen sollten! -, offenbaren die öffentlichen Aufträge jedoch nur einen Aspekt oder besser : einen Moment seines Schaffens. Es ist die Qualität der vorangegangenen Arbeiten, die Vielfalt der dabei erforschten Wege, die dafür spricht, daß sie sich dauerhaft ideal in eine Umgebung einfügen. Genauso wie die zeitgleich oder später entstehenden Werke das Vorgehen des Künstlers besser erhellen als das Harmonieren eines seiner Stücke mit einer Sammlung.

So ist die Austellung, die wir im CEAAC organisieren - namentlich mit Exponaten, die im Frühjahr in den Galerien Bernd Klüser und Rüdiger Schöttle in München zu sehen waren - gedacht als Hommage an Stephan Balkenhol, sie soll die Freude, die von seiner Kreativität ausgeht, mitteilen, und die Kraftlinien, aufgrund derer sie sich entfaltet, deutlicher spürbar machen.

Das von ihm gewählte Element Holz, mit dem er sich als Bildhauer verwirklicht, bearbeitet Balkenhol so meisterhaft, daß dieses resistente Material seinen Figuren paradoxerweise die lebendige Ausstrahlung einer Zeichnung verleiht.

Jenseits von allem Pathos und illusionärer Virtuosität eröffnen die Blicke seiner Personen uns eine Welt, in der wir für sie - so rauh ihre Schale, so unkonventionell ihre Umgebung, ja so phantastisch ihr Äußeres manchmal sein mögen - eine ebenso tiefe wie entfernte Vertrautheit empfinden.

Weil Balkenhol Zwittergestalten, die an modern gekleidete ägyptische Götter erinnern, einem Eden, in dem sich fröhlich Menschen und Tiere tummeln, und anonymen Gesichtern, die uns im Vorübergehen nicht aufgefallen wären, ein und dieselbe Präsenz verleiht, scheint seine Kunst von jener Aura *geprägt zu sein, in der Walter Benjamin in seinem* Passagenwerk «die Erscheinung einer Ferne» *sah... «so nah das, was sie hervorruft, auch sein mag».* ■

Kleines Kopfrelief
Petite tête en relief
1996
Pappelholz bemalt
peuplier peint,
22 x 21 x 4 cm

Große Frau
mit grüner Hose
Grande femme
en pantalon vert
1996
Pappelholz bemalt
peuplier peint
246 x 84 x 76 cm

Großer
klassicher Mann
Grand homme
classique
1996
Pappelholz bemalt
peuplier peint
250 x 86 x 77 cm

Großes Kopfrelief Mann (hellblau)
Grande tête d'homme en relief (bleu clair)
1996
Pappelholz bemalt
peuplier peint,
114 x 98,5 x 13 cm

Großes Kopfrelief Frau (purpur)
Grande tête de femme en relief (pourpre)
1996
Pappelholz bemalt
peuplier peint,
115 x 98,5 x 13,5 cm

Große Relieftafel (gelb)
Grand tableau-relief (jaune)
1996
Pappelholz bemalt
peuplier peint,
283 x 102,5 x 3,5 cm

Stephan Balkenhol : une tradition refigurée

par Neal Benezra

En février 1992, le jeune sculpteur allemand Stephan Balkenhol installait sur une balise au milieu de la Tamise, à Londres, une figure en bois sculpté et peint, mesurant 2,45 mètres de haut, intitulée *Figure debout sur une balise*. D'apparence étonnamment humaine, la sculpture attira l'attention de nombreux piétons et automobilistes dont l'un, selon le quotidien *Evening Standard*, «plongea dans la rivière en criant «Ne sautez pas» et dut être lui-même secouru par la police fluviale, tandis que la sculpture en bois demeurait impassible». Dans le quotidien londonien *Times*, le critique Richard Cork écrivit que «Balkenhol semble rechercher l'anonymat de Monsieur Tout-le-Monde, même si la forme sculpturale qu'il adopte était autrefois utilisée pour rendre un hommage public à des personnages illustres.»[1]

L'anecdote de la Tamise est caractéristique de l'expérience de Balkenhol en tant que sculpteur d'art public et peut servir de présentation succincte à son œuvre et à sa carrière. Balkenhol cherche à attirer un large public pour sa sculpture, et l'une des manières utilisées pour y parvenir est de faire revivre la tradition oubliée des statues figuratives installées dans les lieux publics. Il ne cherche pas à retrouver la gloire héroïque d'antan mais plutôt à démonumentaliser la statue figurative en plaçant les hommes et femmes les plus communs sur des piédestaux réservés historiquement aux héros et héroïnes. L'artiste touche ainsi un grand nombre de spectateurs, en particulier des adultes et des enfants qui n'ont pas nécessairement besoin d'une expérience préalable de l'art pour apprécier une sculpture rencontrée au détour de leur vie quotidienne. Depuis Claes Oldenburg qui commença à installer ses sculptures en plein air dans les années 60, aucun sculpteur n'avait employé avec succès ce type d'humour pince-sans-rire pour amener les gens à l'art.

La réaction d'une grande partie de la communauté de l'art contemporain était prévisible : ce ne peut être de l'art sérieux! En effet, Balkenhol s'est bâti une place inhabituelle hors de ce qui peut être paradoxalement appelé le «courant principal progressiste» de l'art contemporain. Il s'est consciemment éloigné des débats souvent pédants tenus par les post-modernistes des années 70 et 80 concernant la viabilité de l'objet et la question problématique de l'originalité dans l'art contemporain. L'œuvre de Balkenhol est un défi pour les conceptualistes qui méprisent ouvertement les

1] Robin Stringer, «Why Can't You Dummies Just Let Me Be Alone ?» (Pourquoi ne me laissez-vous pas tranquilles, espèces de pantins ?) *Evening Standard* (Londres), 28 février 1992 ; et Richard Cork «Do You See What I See ?» (Tu vois ce que je vois ?), *Times* (Londres), 28 février 1992, sections Life and Times. Balkenhol réalisa deux sculptures pour l'exposition de groupe «Doubletake : Collective Memory and Current Art», (Après-coup : mémoire collective et art actuel), Londres, Hayward Gallery, 1992. La statue déjà mentionnée *Figure debout sur une balise*, 1992, fut installée sur la Tamise, et *Tête d'un homme*, 1992, sur le pont de Blackfriars.

Stephan Balkenhol :
Die figürliche Neugestaltung einer Tradition

von Neal Benezra

Im Februar 1992 stellte der junge deutsche Bildhauer Stephan Balkenhol die von ihm geschaffene Stehende Figur auf Boje *- eine ca. 2,50 m hohe, geschnitzte und bemalte Holzskulptur - auf einer Ankerboje in der Themse in London auf. Fußgänger und Autofahrer wurden auf die einem Menschen zum Verwechseln ähnlich sehende Statue aufmerksam und einer von ihnen - so berichtete der Evening Standard - soll angeblich mit dem Schrei «nicht springen» in die Themse gesprungen sein. Die Holzstatue sah ungerührt zu, wie der vermeintliche Lebensretter von der Flußpolizei dann selbst gerettet werden mußte. Der Kritiker Richard Cork schrieb in der Londoner* Times : *«Balkenhol scheint nach jedermanns Anonymität zu streben - auch wenn diese Form des Standbildes in der Vergangenheit öffentlichen Denkmälern zu Ehren berühmter Persönlichkeiten vorbehalten war.»* [1]

Die Anekdote über die Statue in der Themse exemplifiziert Balkenhols Erfahrung als Bildhauer im Bereich Denkmalkunst und vermittelt einen knappen Einblick in sein Werk und seinen Werdegang. Balkenhols Bildhauerkunst findet das Interesse eines breiten Publikums. Dies ist u.a. darauf zurückzuführen, daß er die längst eingeschlafene Tradition der Aufstellung figürlicher Standbilder auf öffentlichen Plätzen zu neuem Leben erweckt hat. Dabei geht es ihm nicht darum, den heldenhaften Glanz vergangener Zeiten wiedererstehen zu lassen. Vielmehr demonumentalisiert er das figürliche Standbild, indem er die unscheinbarsten Männer und Frauen auf Podeste stellt, die in der Geschichte stets Helden und Heldinnen vorbehalten waren. Damit spricht der Künstler ein weites Betrachterspektrum an : Erwachsene und Kinder, die keine Kunsterfahrung haben müssen, um sich über eine Skulptur zu freuen, die ihnen im Alltag begegnet. Seit Claes Oldenburg in den sechziger Jahren begann, seine Skulpturen im Freien aufzustellen, hat kein Bildhauer mehr seinen Humor mit unbewegter Miene so erfolgreich eingesetzt, um Menschen die Kunst nahezubringen.

Die Reaktion vieler Angehöriger der zeitgenössischen Kunstszene war vorhersehbar : Das ist doch keine ernsthafte Kunst! Und in der Tat hat sich Balkenhol eine ungewöhnliche Nische geschaffen - außerhalb dessen, was man paradoxerweise als die «progressive Hauptströmung» der zeitgenössischen Kunst bezeichnen könnte. Selbstbewußt kehrte er den oft pedantischen Debatten der Anhänger der Postmoderne in den siebziger und

1] Robin Stringer, «Why Can't You Dummies Just Let Me Be Alone ?» *Evening Standard* (London), 28. Februar 1992 ; und Richard Cork «Do You See What I See ?» *Times* (London), 28. Februar 1992, Life and Times sections. Balkenhol stellte zwei Skulpturen für die Gruppenausstellung «Doubletake : Collective Memory and Current Art», London, Hayward Gallery, 1992. Die oben erwähnte «Stehende Figur auf Boje», 1992, wurde auf der Themse aufgestellt und «Mannes Kopf» 1992, auf der Blackfriars Brücke.

procédés de travail direct et l'humour non ironique, et qui ne considèrent sérieusement la figure que dans le cadre de la photographie ou de la bande vidéo. Bien que l'œuvre de Balkenhol fasse l'objet de nombreuses discussions, irritations et d'une véritable consternation parmi les artistes, les critiques et conservateurs de musées «progressistes», l'artiste ne se laisse pas décourager. A une époque où toute forme de dogme politique, social et culturel est remis en question, il se pourrait bien que Stephan Balkenhol apporte un souffle nouveau à la sculpture figurative.

Un catalogue publié à l'occasion d'une exposition qui eut lieu à Rotterdam en 1992[2] permet de mieux aborder l'œuvre de Balkenhol. Parallèlement au traditionnel débordement de publications accompagnant une exposition dans un musée - illustrations, essais, documents, interviews et nombreuses photographies - la petite publication *Stephan Balkenhol, über Menschen und Skulpturen / à propos d'hommes et de sculptures* ressemble plutôt à l'album personnel de l'artiste. Les photos qu'il a incorporées fournissent un témoignage illustré de ses perceptions de la sculpture, depuis sa découverte de l'art lorsqu'il était enfant jusqu'à des images d'objets et de personnages qui l'ont amusé et intéressé. Une biographie succincte nous apprend que Balkenhol est né en 1957, benjamin d'une famille de quatre garçons, à Fritzlar, dans la région de Hesse, en Allemagne[3]. Son père enseignait l'allemand et l'histoire et, de 1963 à 1968, sa famille vécut à Luxembourg, où son père continua à enseigner et où Stephan apprit à parler couramment le français. Lorsque la famille déménagea à Kassel en 1968, Stephan Balkenhol commençait à réaliser des collages et des assemblages, ainsi que quelques têtes sculptées dans des morceaux de bois. Le fait qu'il grandit à Kassel est très significatif : tous les cinq ans depuis le milieu des années 50, cette ville de Hesse accueille «Documenta», la plus importante exposition internationale d'art contemporain. Comme par le fait du hasard, en 1972, l'un des frères aînés de Balkenhol, lui-même étudiant en art, passa tout l'été à vendre des catalogues et des billets d'entrée pour l'exposition. A quinze ans, Balkenhol visita «Documenta 5» où il put explorer l'exposition en détail et s'initier aux dernières tendances de l'art contemporain. Ce qui attira et captiva son attention fut sans aucun doute un pavillon appelé «Réalisme» confié au conservateur européen bien connu Jean-Christophe Ammann. Balkenhol

2] La plus grande exposition de l'artiste à ce jour, «Stephan Balkenhol, à propos d'hommes et de sculptures», a été organisée par le Centre pour l'Art Contemporain Witte de Wit, à Rotterdam, 1992-93.

3] Les éléments biographiques sont tirés d'une série de conversations entre l'auteur et l'artiste ayant eu lieu le 9 avril 1992 à Edelbach, Allemagne ; le 10 novembre 1992 à Washington D.C. ; le 5 juin 1993 à Karlsruhe, Allemagne ; et le 25 juin 1994 à Meisenthal, France. D'autres éléments sont tirés d'une interview de l'artiste par Stéphanie Jacoby le 11 août 1994 à Washington D.C.

achtziger Jahren über die Lebensfähigkeit des Objekts und die Problematik der Originalität in der Kunst der jüngsten Vergangenheit den Rücken. Balkenhols Werk steht in offenem Widerspruch zu den Konzeptualisten, die direkte Arbeitsvorgänge sowie der Ironie entbehrenden Humor verschmähen und ein ernsthaftes Inbetrachtziehen der figürlichen Darstellung nur in Zusammenhang mit der Fotografie und mit Videotapes zulassen. Auch wenn Balkenhols Werk bei den «progressiven» Künstlern, Kritikern und Kuratoren Gegenstand ziemlich kontroverser Diskussionen und Irritationen ist bzw. auf glatte Ablehnung stößt, läßt sich der Künstler davon nicht beirren. In einer Zeit, in der alle politischen, gesellschaftlichen und kulturellen Dogmen in Frage gestellt zu werden scheinen, muß es einem Stephan Balkenhol auch möglich sein, der figürlichen Bildhauerkunst neues Leben einzuhauchen.

Mit dem Werk Stephan Balkenhols macht man sich am besten anhand eines Katalogs vertraut, der anläßlich einer Ausstellung in Rotterdam Ende 1992 herauskam.[2] *Neben dem gewohnten, für Museumsausstellungen stets veröffentlichten Beiwerk - Illustrationen, Essays, Dokumentationen, Interviews und zahlreichen Fotos - hat nichts so sehr Ähnlichkeit mit der kleinen Schrift* Stephan Balkenhol : Über Menschen und Skulpturen *wie das der Presse übergebene Album des Künstlers. Seine darin enthaltenen Schnappschüsse stellen eine Bilddokumentation seines bildhauerischen Empfindens dar - seit seiner Entdeckung der Kunst als Kind bis hin zu Bildern von ihn amüsierenden und interessierenden Objekten und Menschen. Aus seiner Kurzbiographie ist zu entnehmen, daß Balkenhol 1957 als jüngster von vier Brüdern im deutschen Fritzlar in Hessen geboren wurde*[3]*. Sein Vater war Lehrer für Deutsch und Geschichte. Von 1963 bis 1968 lebte die Familie in Luxemburg, wo Vater Balkenhol weiterhin seinen Lehrberuf ausübte und der jüngste Sohn perfekt Französisch lernte. Zur Zeit des Umzugs der Familie nach Kassel (1968) begann Stephan Balkenhol bereits mit der Herstellung von Collagen und Montagen sowie mit der Anfertigung von ein paar geschnitzten Köpfen aus Holzresten. Daß er in Kassel aufwuchs ist von großer Bedeutung, denn in der hessischen Stadt war seit Mitte der fünfziger Jahre die «Documenta» - Europas größte bzw. wichtigste internationale Ausstellung zeitgenössischer Kunst - alle fünf Jahre zu Gast. Wie es der Zufall so wollte, verkaufte 1972 einer*

2] Seine bisher größte Ausstellung, «Stephan Balkenhol, über Menschen und Skulpturen», wurde vom Witte de With Center for Contemporary Art, Rotterdam, 1992-93, organisiert.

3] Biographische Informationen wurden in einer Serie von Gesprächen zwischen dem Autor und dem Künstler versammelt, die an folgenden Daten stattfanden : 9. April 1992 in Edelbach, Deutschland ; 10. November 1992 in Washington D.C. ; 5. Juni 1993 in Karlsruhe, Deutschland ; und 25. Juni 1994 in Meisenthal, Frankreich. Weitere Informationen stammen aus einem Interview von S.B., bei Stéphanie Jacoby 11. August 1994 in Washington D.C.

y découvrit une concentration exceptionnelle de peintures et de sculptures modernes internationales. Le pavillon exposait au grand jour des artistes Pop, parmi lesquels Richard Artschwager, Jasper Johns, Malcolm Morley et Wayne Thiebaud, les peintres américains photoréalistes Robert Bechtle, Chuck Close, Richard Estes, Ralph Goings et Paul Sarkisian, ainsi que les sculpteurs de trompe-l'œil, Duane Hanson et John De Andrea. Neil Jenney, avec ses descriptions pince-sans-rire de personnages désabusés et excentriques, était également exposé. Parmi le peu d'artistes européens présents figuraient Georg Baselitz, Franz Gertsch et Gehrard Richter, peut être le plus intéressant, exposant son remarquable tableau *Huit élèves infirmières*. Balkenhol se souvient d'avoir été fondamentalement influencé par les œuvres figuratives qu'il vit à «Documenta 5» où il décida de «créer (son) propre Pop art».[4]

Après avoir terminé le lycée en 1976, Balkenhol fut admis à la Hochschule für Bildende Künste à Hambourg. Bien que très réputée pour sa ligne hautement conceptualiste et minimaliste et comptant parmi les professeurs de l'époque Nam June Paik, Sigmar Polke et Ulrich Rückriem, Hambourg était néanmoins considérée comme une école d'art moins intéressante et moins bien cotée que l'école de Düsseldorf. La faculté de Düsseldorf était dominée par l'enseignement et la personnalité charismatique de Joseph Beuys qui avait attiré un large cercle d'étudiants. La plupart des jeunes artistes allemands préféraient Düsseldorf et Cologne, cependant Balkenhol choisit Hambourg. Typiquement indépendant, il pensait qu'il y avait «trop d'artistes à Düsseldorf»[5] et il aimait la beauté physique de Hambourg avec ses nombreuses pièces d'eaux et son éclatante lumière estivale. Balkenhol travaille principalement à Hambourg dans les années 80.

Lorsqu'il était étudiant, Balkenhol réalisa plusieurs projets d'un esprit conceptuel ou «process art» ludique avec une camarade d'université, Michelle Bourgeois. Ils mirent au point des installations informelles en tissu gelé, moulant des objets tels que des chaises, des rideaux, des escaliers et des tunnels en plein air et, lorsque les formes fondaient, les sculptures s'effondraient naturellement en tas. A cette époque, Balkenhol entreprit également une démarche conceptuelle plus rigoureuse. Il effectua une étude poussée sur Longwy, une ville de l'Est de la France, dévastée ces dernières

4] Conversation avec l'auteur, 10 novembre 1992.

5] Conversation avec l'auteur, 25 juin 1994.

der älteren Brüder Balkenhols - selbst Kunststudent - im Sommer Kataloge und Eintrittskarten für diese Ausstellung. Mit fünfzehn besuchte Balkenhol die «Documenta 5», die ihm eine gründliche Einführung in die jüngsten Entwicklungen der zeitgenössischen Kunst bot. Ein Pavillon mit dem Motto «Realismus», der dem bekannten europäischen Kurator Jean-Christophe Ammann unterstand, fand zweifellos seine besondere Aufmerksamkeit. Balkenhol erhielt dort einen außergewöhnlichen Überblick über die internationale zeitgenössische Malerei und Bildhauerkunst. In diesem Pavillon wurden an exponierter Stelle Werke von mit Popideen arbeitenden Künstlern gezeigt - darunter Werke von Richard Artschwager, Jasper Johns, Malcolm Morley und Wayne Thiebaud, der amerikanischen Maler des Fotorealismus Robert Bechtle, Chuck Close, Richard Estes, Ralph Goings und Paul Sarkisian sowie der Trompe-l'œil-Bildhauer Duane Hanson und John De Andrea. Bemerkenswert war auch die Einbeziehung von Neil Jenney mit seinen Darstellungen schiefer, eigenwilliger Figuren mit ausdruckslosem Gesicht. Es waren relativ wenig Europäer vertreten - darunter jedoch Georg Baselitz, Franz Gertsch und - was vielleicht am beachtlichsten ist - Gerhard Richter mit seinen bemerkenswerten Acht Lernschwestern. *Balkenhol erinnert sich, daß er von den figürlichen Arbeiten, die er auf der «Documenta 5» gesehen hatte, grundlegend beeinflußt wurde als er beschloß, «seine eigene Popart zu machen.»*[4]

1976 - nach dem Abitur - wurde Balkenhol an der Hochschule für Bildende Künste in Hamburg aufgenommen. Obwohl diese wegen ihres stark minimalistischen und konzeptualistischen Profils großes Ansehen genoß und der Fakultät damals Nam June Paik, Sigmar Polke und Ulrich Rückriem angehörten, galt Hamburg dennoch als weniger interessante und begehrte Kunsthochschule als die Akademie in Düsseldorf. Die dortige Fakultät wurde von der dem Lehrkörper angehörenden charismatischen Persönlichkeit Joseph Beuys dominiert, bei dem die Studenten Schlange standen. Die meisten jungen Künstler gaben Düsseldorf und dem nahegelegenen Köln den Vorzug - doch Balkenhol entschied sich für Hamburg. In der für ihn so charakteristischen, unabhängigen Art fand er, daß es «in Düsseldorf zu viele Künstler» gab.[5] *Und er liebte das schöne Hamburg mit dem vielen Wasser und seinem glitzernden Sommerlicht. Auch in den achtziger Jahren lebte Balkenhol immer wieder in Hamburg.*

4] Gespräch mit dem Autor, 10. November 1992.

5] Gespräch mit dem Autor, 25. Juni 1994

décennies par la dépression économique causée par l'effondrement de l'industrie minière de la région. Ce projet, aujourd'hui détruit, impliquait des recherches très complètes, des interviews et des essais photographiques, et rappelle un travail photographique similaire effectué par des artistes allemands contemporains, Bernhard et Hilla Becher.[6]

La relation la plus décisive pour Balkenhol à Hambourg fut nouée avec Ulrich Rückriem. Probablement le meilleur sculpteur minimaliste d'Europe, Rückriem est connu pour la force austère et rude de son œuvre et sa géométrie impérieuse mais humaine.

Doté d'une personnalité énergique et forte, Rückriem constituait un défi formidable pour ses étudiants. Il encourageait les jeunes artistes à remettre en question toutes les hypothèses concernant la création d'une sculpture, et Balkenhol le trouva extrêmement large d'esprit. Rétrospectivement, Balkenhol déclare : «ce fut très formateur pour moi d'avoir pour professeurs des artistes qui ne travaillent pas de manière figurative, comme Rückriem... Dans ce contexte, vous posez des questions différentes et fondamentales.» Balkenhol devint rapidement l'élève de Rückriem puis son assistant d'atelier.[7]

Ce fut grâce à l'enseignement de Rückriem que Balkenhol s'intéressa sérieusement à la sculpture. Il travailla avec de nombreux matériaux – bronze, argile, granite, marbre et métal – fabriquant une grande quantité de sculptures, pour la plupart de petits formats. Il créa de nombreux petits instruments de musique, des vasques en pierre et des formes cubiques. Le lien avec ses premiers travaux est, une fois encore chez Balkenhol, son espièglerie iconoclaste. Tout comme auparavant ses sculptures «gelées», les objets faisaient une satire de l'introversion et de l'orthodoxie du Minimalisme et du Conceptualisme.

A la recherche d'un sujet, Balkenhol commença à explorer la sculpture figurative. Il comprit rapidement qu'il devrait «réinventer la figure» parce que, comme il le souligna, «la tradition [avait été] interrompue. [Pendant mes études], il était totalement tabou de travailler de manière figurative... Je voulais découvrir [ce qui était] possible.»[8]

6] Conversation avec l'auteur, 5 juin 1993.

7] Extrait de *Possible Worlds : Sculpture from Europe* (Mondes possibles : sculptures d'Europe), (Londres, Institut d'Art Contemporain et Serpentine Gallery, 1991.) p. 29. En 1985, Rückriem écrivit un bref essai sans titre sur l'œuvre de Balkenhol dans *Stephan Balkenhol : Skulpturen* (Darmstadt : Mathildenhöhe), n.p. La publication incluait également une récente conversation entre les deux artistes. Cet entretien fut également repris dans *Stephan Balkenhol, über Menschen und Skulpturen* (Stephan Balkenhol, à propos d'hommes et de sculptures) (Rotterdam, Edition Cantz, 1992), pp. 16-19.

8] Extrait de *S.B., über Menschen und Skulpturen*, p. 12.

Als Student arbeitete Balkenhol um das Jahr 1980 zusammen mit einer Studienkollegin, Michelle Bourgeois, an mehreren heiteren konzeptualistischen und bestimmte Techniken erfordernden Projekten. Im Mittelpunkt ihrer Arbeit standen zwanglose Installationen unter freiem Himmel unter Verwendung von tiefgefrorenem Stoff, Gegenstände aus der Requisite wie Stühle, Vorhänge, Stufen und Tunnels. Bei Auftauen der entsprechenden Formen fielen die Skulpturen in sich zusammen. Etwa um dieselbe Zeit befaßte sich Balkenhol mit rigoroseren konzeptualistischen Plänen. Er führte eine umfassende Studie die ostfranzösische Stadt Longwy betreffend durch, die in den vergangenen Jahrzehnten aufgrund der wirtschaftlichen Rezession, die auf den Zusammenbruch der Bergwerksindustrie der Region zurückzuführen war, einen ungeheuren Niedergang erfahren hatte. Das nicht mehr erhaltene Projekt brachte umfassende Recherchen, Interviews und Fotoessays mit sich und erinnert an ähnliche fotografische Arbeiten der zeitgenössischen deutschen Künstler Bernhard und Hilla Becher.[6]

Balkenhols wichtigste Beziehung in Hamburg entstand zu Ulrich Rückriem. Als vielleicht glänzendster minimalistischer Bildhauer Europas ist Rückriem für die robuste formalistische Kraft und die hochragende, beherrschende - jedoch immer noch menschliche - Geometrie seiner Werke bekannt.

Mit seiner robusten und kraftvollen Persönlichkeit stellte Rückriem für jeden Studenten eine beachtliche Herausforderung dar. Er ermutigte die jungen Künstler, alle die Schaffung von Skulpturen betreffenden Prämissen in Frage zu stellen, und Balkenhol stellte fest, daß er unheimlich aufgeschlossen war. Rückblickend meint Balkenhol : «Es war sehr gut für mich, Künstler als Lehrmeister zu haben, die wie Rückriem nicht figürlich arbeiteten ... In dieser Situation... stellt man verschiedene und fundamentale Fragen.» Balkenhol wurde unverzüglich Rückriems Schüler und schließlich sein Atelierassistent.[7]

Im Unterricht bei Rückriem wandte sich Balkenhol ernsthaft der Bildhauerkunst zu. Er arbeitete mit den unterschiedlichsten Materialien - Bronze, Ton, Granit, Marmor und Metall - und schuf eine ganze Reihe meist kleiner Skulpturen. Er fertigte zahlreiche Spielzeug-Musikinstrumente, Steinbecken und kubische Formen an.

6] Gespräch mit dem Autor, 5. Juni 1993.

7] Vgl. *Possible Worlds : Sculpture from Europe* (London, Institute of Contemporary Art and Serpentine Gallery, 1991.) S. 29. 1985, schreibt Rückriem einen kurzen, unbetitelten Essay über Balkenhols Arbeit in *Stephan Balkenhol : Skulpturen* (Darmstadt : Mathildenhöhe), n.p. Diese Herausgabe enthält auch ein Gespräch zwischen den zwei Künstler. Dieses Interview wurde ebenfalls in *Stephan Balkenhol, über Menschen und Skulpturen* (Rotterdam, Cantz Verlag, 1992), S. 16-19. gedruckt.

Dans les années 80, il visita la Kunsthalle de Hambourg et voyagea également au Caire, à Copenhague, Londres, Munich, Paris et Rome, étudiant les collections de sculptures figuratives dans les grands musées et monuments historiques d'Europe. Photographe débordant d'activité, Balkenhol prit des clichés de Kouroi grecs, de bustes romains et de fragments monumentaux de l'époque de Constantin. Il réalisa également de nombreux dessins : de petits croquis à la plume représentant les caryatides de l'Erechtéion à Athènes, ainsi qu'une représentation fantaisiste des figures classiques du *Laocoon* en lutte avec le serpent. Déjà, Balkenhol se servait de l'humour pour démonter et reconsidérer la sculpture figurative traditionnelle.

C'est à cette époque-là, en 1981, que Balkenhol réalisa ses premières études de têtes en argile. Leurs petits visages, bouche bée, revêtent les expressions exagérées de la caricature. Bien que Balkenhol ait à l'occasion travaillé le béton, le plâtre et l'argile, il se sentit presque immédiatement attiré par le bois comme matériau principal.[9]

Les premières sculptures en bois de Balkenhol datent de 1982 et 1983. Pour les premières pièces - *Têtes masculine et féminine, Homme* et *Femme* -, il fendit une longue bûche dans le sens de la longueur, puis sculpta des figures à partir de chacun des deux côtés[10]. Balkenhol plaça intentionnellement les figures relativement haut sur le tronc et, par conséquent, chaque tête est coupée à ras au-dessus de la chevelure. La sculpture est basique, les traits grossiers, les mouvements des mains et les visages maladroits. Balkenhol peignit les premières sculptures de la même manière heurtée, ajoutant de la couleur uniquement pour rehausser des parties telles que les cheveux et les lèvres et laissant le bois nu pour représenter la peau. Ces sculptures, de loin les plus directes et les moins raffinées de Balkenhol, s'inspirent indéniablement de Rückriem. Balkenhol s'était découvert une attirance pour les blocs de bois non taillés, tout comme son mentor s'était longtemps auparavant tourné vers le granit blanc. La même rudesse délibérée et le même sentiment envers les matériaux et les méthodes, équilibrés par une qualité tactile humaine, lient le travail des deux artistes.

On se demanda bientôt comment Balkenhol allait se situer par rapport à l'histoire de la sculpture sur bois. La sculpture figurative sur bois a toujours dominé les arts

9] Cf. les commentaires de Balkenhol dans *Possible Worlds*, 27. Les photographies personnelles de l'artiste de ces premières œuvres figurent dans *S.B., über Menschen und Skulpturen*, pp. 20-25.

10] Cf. Photographies documentaires de *Homme* et *Femme* dans *S.B., über Menschen und Skulpturen*, pp. 12-15.

Die Verbindung früher Vorstellungen ging wieder einmal auf das Konto von Balkenhols ikonoklastischer Heiterkeit. Zusammen mit seinen etwas früher entstandenen «tiefgefrorenen» Skulpturen stellten die Objekte eine Satire auf das Selbstbewußtsein und die Orthodoxie des Minimalismus und Konzeptualismus dar.

Auf der Suche nach einem Thema begann Balkenhol die figürliche Bildhauerei zu ergründen. Er erkannte rasch, daß er «die Statue neu erfinden» mußte, da - wie er feststellte - «die Tradition unterbrochen worden war. Damals (als ich studierte) war es einfach tabu, figürlich zu arbeiten. ... Ich wollte herausfinden, was möglich war.» [8] *In den achtziger Jahren besuchte er die Hamburger Kunsthalle und reiste auch nach Kairo, Kopenhagen, London, München, Paris und Rom, um die Sammlungen der figürlichen Bildhauerei in den großen historischen Museen sowie die europäischen Monumente zu studieren. Als eifriger Fotograf nahm Balkenhol Bilder von griechischen Kouroi, römischen Porträtbüsten und monumentalen konstantinischen Fragmenten auf. Auch fertigte er zahlreiche Zeichnungen an : Kleine Federskizzen der Karyatiden des Erechtheion in Athen sowie eine launenhafte Neuerfindung der klassischen Statuengruppe des* Laokoon *im Kampf mit der Schlange. Bereits jetzt bedient sich Balkenhol des Humors als Werkzeug, um die traditionelle figürliche Bildhauerei von ihrem Sockel zu holen und neu zu überdenken.*

In diese Zeit - 1981 - fallen Balkenhols erste grobe Studien zu Tonköpfen. Ihre kleinen Gesichter mit aufgesperrtem Mund kennzeichnet der für Karikaturen typische, übertriebene Gesichtsausdruck. Auch wenn Balkenhol gelegentlich mit Beton, Gips und Ton arbeitete, so fühlte er sich doch sofort zu Holz als Hauptarbeitsmaterial hingezogen. [9]

1982/83 folgten Balkenhols erste Holzskulpturen. Bei seinen frühen Arbeiten - Männer- und Frauenköpfe *und* Mann und Frau *- spaltete er einen großen Holzblock der Länge nach und schnitzte auf jeder der beiden Seiten eine Figur heraus.* [10] *Balkenhol positionierte die Figuren absichtlich ziemlich hoch oben, so daß jeder Kopf gleich über dem Schädel abgeschnitten ist. Die Schnitzarbeit ist elementar, die Züge sind schwer, Gestik und Mimik wirken tölpelhaft. Der Künstler bemalte seine ersten Skulpturen gleichermaßen sporadisch und trug Farben nur auf die Highlights - z.B. Haare und Lippen - auf. Das blanke, unbemalte Holz stellte die Haut dar. Keine Frage : Balkenhols*

8] Vgl. aus S.B., *über Menschen und Skulpturen*, S. 12

9] Vgl. Balkenhols Kommentare in *Possible Worlds*, S. 27. Seine eigenen Fotographien von diesen frühen Arbeiten erscheinen in *S.B., über Menschen und Skulpturen*, S. 20-25.

10] Vgl. Dokumentarphotographien von *Mann* und *Frau* in *S.B., über Menschen und Skulpturen*, S. 12-15.

populaires et les Beaux Arts, particulièrement en Allemagne. La tradition du vingtième siècle est expressionniste, allant des œuvres de Ernst Barlach et Ernst Ludwig Kirchner au début du siècle, à celles de Georg Baselitz ces dernières années. Tout en respectant les chefs-d'œuvre du passé, Balkenhol ne s'intéressait pas du tout à l'émotion poussée à l'excès souvent véhiculée par l'expressionnisme allemand. Il comprit rapidement que la sculpture expressionniste se distingue par la nudité des figures, le pathétique de leurs mouvements de mains et de visages et l'usage agressif de la couleur par le sculpteur. Balkenhol comprit que s'il réussissait à neutraliser ces caractéristiques expressives, il pourrait ainsi résister à ce que l'on attendait de ses figures et qui, autrement, aurait alourdi leur signification. Et c'est précisément ce qu'il fit durant les années 80.

Il était naturel, par exemple, pour des nus d'homme et de femme, d'être perçus sous un mode narratif ; *Homme* et *Femme* ont immédiatement été interprétés comme étant Adam et Eve. Cependant, dès le début, Balkenhol avait clairement déclaré qu'il ne voulait pas que son travail soit soumis à ce genre d'explications évidentes. Il souhaitait exactement le contraire : «Mes sculptures sont relativement réalistes, [ce qui] signifie qu'elles peuvent toutes être immédiatement reconnues. Elles possèdent des caractéristiques de visage et des postures particulières et cependant elles ne représentent personne en particulier. Elles ne sont pas non plus censées raconter une histoire - elles ne sont pas censées avoir une fonction narrative.» [11]

Afin d'éviter des implications narratives ou allégoriques, Balkenhol décida «d'habiller» ses figures. L'une de ses premières sculptures de ce type est *Relief*, une grande œuvre composée de quatre troncs sculptés, représentant chacun une figure d'homme debout, habillé, à l'échelle réelle. Une étrange similarité filtre à travers le groupe ; les sujets, tous jeunes, ont approximativement la même taille et portent des pantalons foncés et des chemises claires. Seule la position banale mais embarrassée de leurs mains les distingue. Indiscutablement, Balkenhol attire l'attention sur un détail curieux, mais il est vrai que les sculpteurs ont toujours eu de grandes difficultés à composer les mains. Balkenhol a choisi de faire de cet aspect - et de sa solution naturelle, sinon intentionnellement prosaïque - le sujet même de son œuvre. C'est ici que

11] Extrait de *Binationale : l'art allemand à la fin des années 80* (Cologne : Dumont, 1988), p. 70.

bei weitem klarste und nicht weiter fein ausgearbeiteten Werke gehen zu einem guten Teil auf Rückriem zurück. Zudem hatte er seine Vorliebe für unbehauene Holzblöcke entdeckt - so wie es seinem Lehrer vor langer Zeit mit Granit ergangen war. Dieselbe wohlüberlegte Derbheit sowie das Gespür für Materialien und Verfahren - ausgeglichen durch taktile, menschliche Qualität - verbindet die Arbeit der beiden Künstler.

Fig. 1

Schon bald stellte sich die Frage, wie Balkenhol auf die Geschichte der Holzbildhauerei reagieren würde. Insbesondere in Deutschland dominiert die figürliche Holzbildhauerei Menschen und Schöne Künste. Die expressionistische Tradition des zwanzigsten Jahrhunderts reicht von Werken Ernst Barlachs und Ernst Ludwig Kirchners zu Beginn des Jahrhunderts bis hin zu den Arbeiten von Georg Baselitz, die erst in den letzten Jahren entstanden. Auch wenn er den Leistungen der Vergangenheit Respekt zollte kümmerte sich Balkenhol nicht im geringsten um die übertriebene Emotion, die der deutsche Expressionismus häufig vermittelt. Er erkannte rasch, daß sich die expressionistische Bildhauerei durch die Nacktheit der Figuren, das Pathos von Gestik und Mimik und die Aggressivität, mit der der Bildhauer mit der Farbe umgeht, unterscheidet. Balkenhol wurde folgendes klar : Wenn er diese expressiven charakteristischen Merkmale neutralisieren konnte, dann konnte er auch den Erwartungen trotzen, die seine Figuren ansonsten belasten würden. Und genau das tat Balkenhol Anfang der achtziger Jahre.

So war es beispielsweise ganz natürlich, daß die paarweise Darstellung männlicher und weiblicher unbekleideter Figuren narrativ verstanden wurde. Balkenhols Skulpturen Mann und Frau wurden sofort als Adam und Eva interpretiert. Doch der Künstler wollte von Anfang an eben nicht, daß sein Werk einer so vordergründigen Erklärung anheimfiel. Er wünschte sich genau das Gegenteil : «Meine Skulpturen sind relativ realistisch, und das bedeutet, daß sie alle sofort (als das, was sie sind) erkannt werden können. Sie weisen einen speziellen Gesichtsausdruck auf und sie nehmen eine spezielle Pose ein - und dennoch stellen sie keine bestimmte Person dar. Sie sollen auch keine Geschichte erzählen. Sie haben keinerlei narrative Funktion.»[11]

11] Vgl. *Binationale : Deutsche Kunst der späten 80er Jahre*, (Köln : DuMont, 1988), S. 70.

l'album de Rotterdam de 1992 trouve son utilité, parce qu'il montre en illustration, à côté de *Relief* une étude intitulée «Wohin mit den Armen» (Où placer les bras), (fig. 1). De manière merveilleusement enjouée, les pages suivantes sont consacrées aux photographies prises par Balkenhol d'individus et de groupes de figures dans la rue. Chacun d'eux transmet une expression complètement différente et spontanée avec ses mains. Finalement, nous voyons une photographie que Balkenhol a prise à la Glyptothek à Munich d'un kouros grec ancien, les mains raides le long du corps, comme cela était caractéristique de l'art classique ancien (fig. 2).

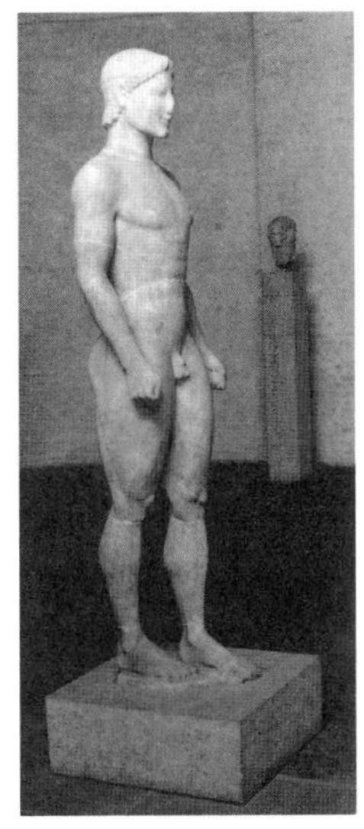

Fig. 2
Kouros grec
photo S.B.

La démarche de Balkenhol, associant une conscience de la tradition sculpturale, des observations sur les gestes et les vêtements humains et l'espièglerie radicale qui lui est propre, prenait enfin forme et débouchait sur une méthode de travail spécifique. Avec les premières figures peintes et «habillées», Balkenhol définit une position concernant la manière de rendre la forme humaine qui troublerait les usages en vigueur mais resterait fidèle à ses propres perceptions immédiates. «La représentation de la nature humaine dans ce contexte peut être comprise de plusieurs manières», déclarait-il. «Je ne parle pas uniquement «d'imitation» du niveau superficiel de la réalité, mais également du reflet des relations humaines dans l'art, dans la réalité.»[12] Ainsi, Balkenhol préfère la sculpture égyptienne à la sculpture romaine :

Je suis fasciné par leur aura d'éternité et de tranquillité. Elles donnent l'impression de combiner les deux : d'elles émanent la transcendance ainsi que la réalité et la présence. Il y a presque quelque chose de contemporain en elles. Et pourtant elles ne sont pas réalistes de la même manière que les sculptures romaines qui ressemblent plus à des photos en trois dimensions.[13]

En d'autres termes, Balkenhol essayait de travailler «dans la brêche séparant l'art et la vie», pour reprendre la phrase de Robert Rauschenberg. Tandis que les artistes Pop s'appropriaient les images et les matériaux de la rue pour leurs œuvres, Balkenhol essayait plutôt de créer une forme figurative hybride, une forme qui dériverait de manière égale de l'art et de la vie.

12] Extrait, ibid., p. 69.

13] Extrait de *Possible Worlds*, p. 27.

Um einen narrativen bzw. allegorischen Eindruck zu vermeiden entschied sich Balkenhol, die von ihm geschaffenen Figuren «anzuziehen». Zu seinen ersten derartigen Skulpturen zählt Relief *- ein großes Werk, das aus vier geschnitzten Stämmen - jeder mit einer angezogenen, männlichen Figur in natürlicher Größe - besteht. Die Gruppe ist von einer seltsamen Gleichheit durchdrungen. Die dargestellten Figuren sind alle jung, weisen in etwa dieselbe Größe auf und tragen dunkle Hosen und pastellfarbene Hemden. Sie unterscheiden sich lediglich durch die banale, unbequeme Handstellung. Fraglos handelt es sich hier um ein spezielles, Aufmerksamkeit verdienendes Detail Balkenhols - doch Bildhauer haben seit Jahrhunderten große Schwierigkeiten mit der Modellierung der Hände. Balkenhol entschloß sich, diesen Aspekt und seine natürliche - wenn auch absichtlich nicht besonders glanzvolle - Lösung zum eigentlichen Thema des Werkes zu machen. Das Rotterdamer «Album» aus dem Jahr 1992 ist hier nützlich, denn neben* Relief *illustriert es eine Studie namens «Wohin mit den Armen» (fig. 1). In großartig heiterer Manier sind die folgenden Seiten den Fotos einzelner Passanten und Menschengruppen auf der Straße gewidmet. Auf jedem Bild ist die Handstellung anders und völlig ungekünstelt. Und schließlich stoßen wir auf das Foto eines archaischen griechischen Kouros, das von Balkenhol in der Münchner Glyptothek aufgenommen wurde (fig. 2) - die Hände streng seitlich angelegt, so wie es für die frühklassische Kunst charakteristisch ist.*

Balkenhols Vorgehensweise der Kombination eines bildhauerischen Traditionsbewußtseins und der Beobachtung menschlicher Gestik und Kleidung mit seinem «mit-beiden-Beinen-auf-der-Erde-Witz» verschmolz hier nun zu einer Einheit und brachte einen spezifischen Arbeitsprozeß hervor. Mit seinen frühen bemalten und «angezogenen» Figuren begründete Balkenhol eine Haltung gegenüber der Darstellung der menschlichen Form, die in Bezug auf die gängige Praxis für Verwirrung sorgte - mit der er seinen eigenen unmittelbaren Wahrnehmungen jedoch treu blieb. «Mimesis kann in diesem Kontext auf vielerlei Weise verstanden werden», bemerkt er. «Ich verstehe darunter nicht nur 'Imitation' der oberflächlichen Realitätsebene, sondern auch die Wiedergabe der Beziehung des Menschen zur Kunst, zur Realität.» [12] *In diesem Sinne zieht Balkenhol die ägyptische Bildhauerkunst der römischen vor :*

12] Vgl. ebenda, S. 69.

Balkenhol travaille par des moyens subtils à empêcher toute allusion évidente à la sculpture ou à la nature humaine. Le premier de ses outils est l'échelle étrange et non naturelle de ses œuvres. Même dans ses premières sculptures, les figures d'hommes et de femmes ont souvent exactement la même taille. Elles sont trop grandes ou trop petites, mais jamais exactement à notre taille. Cette perception déconcertante renforce l'écart qui les sépare de nous tout en garantissant leur reconnaissance en tant qu'œuvres d'art. «La sculpture qui n'est pas grandeur nature semble mieux activer l'espace dans lequel elle est placée. Aussi, elle implique beaucoup plus vos pouvoirs d'imagination. Les sculptures grandeur nature semblent d'une manière ou d'une autre moins importantes.» [14]

Ensuite, il y a sa manière neutre d'appliquer la peinture. Tandis que les expressionnistes de Kirchner à Baselitz utilisent la couleur pour rehausser les possibilités expressives de la figure, Balkenhol ajoute la couleur d'une manière large pour représenter les chemises, les pantalons, les cheveux et d'autres détails de l'anatomie et des vêtements. La peau, toutefois, garde la couleur et la texture naturelles du bois, permettant aux sculptures de louvoyer entre l'anonymat et la ressemblance, entre le silence et la narration.

Dans les années 80, Balkenhol commença également à utiliser le socle de la sculpture comme outil, plaçant subtilement ses figures juste en dehors du cadre de notre expérience. Depuis l'avènement du Minimalisme dans les années 60, les sculpteurs abstraits ont largement abandonné le socle, choisissant plutôt d'installer leur œuvre directement sur le sol et de contrôler de ce fait l'échelle uniquement par le biais de la taille, de la forme et de la couleur. Balkenhol réintroduisit le socle, créant ainsi de nouveaux formats pour suggérer une échelle non naturelle et pour diriger la perception du spectateur. Alors que chacun des quatre jeunes hommes dans *Relief* se tient debout sur son propre tronc, Balkenhol a développé un autre dispositif dans *Trois Figures*. Là, toutes les figures ont une taille inférieure à la grandeur nature et sont représentées en ronde-bosse. Elles sont montées côte à côte sur un simple socle de poteaux et de linteaux qui les élève au-dessus du niveau des yeux *Suite page 41*

14] Extrait, ibid. p. 28.

Ich bin von ihrer Aura der Ewigkeit und Stille fasziniert. Sie (die ägyptischen Skulpturen) scheinen beides in sich zu vereinen. Sie vermitteln den Eindruck von Transzendenz, Realität und Gegenwart - ja sie haben fast etwas Zeitgenössisches an sich. Und doch sind sie nicht auf dieselbe Weise wie die römischen Skulpturen realistisch, die eher wie dreidimensionale Fotos wirken.[13]

Anders ausgedrückt : Balkenhol versuchte «in dem Niemandsland zu arbeiten, das Kunst und Leben trennt», um die Worte von Robert Rauschenberg zu gebrauchen. Während Popkünstler für ihre Arbeiten von den Bildern und Materialien der Straße Besitz ergriffen, versuchte Balkenhol statt dessen eine figürliche Mischform zu schaffen - eine sich gleichermaßen aus der Kunst und dem Leben herleitende Form.

Balkenhol arbeitet in subtiler Weise daran, offensichtlichen Anspielungen auf Skulpturen bzw. auf die menschliche Natur zu widerstehen. Als wichtigstes Instrument dient ihm dabei der eigenwillige, unnatürliche Maßstab seiner Arbeiten. Selbst bei den frühen Skulpturen weisen männliche und weibliche Figuren oft genau dieselbe Größe auf. Sie sind entweder zu groß oder zu klein - doch niemals haben sie unsere Körpergröße. Diese enervierende Wahrnehmung verstärkt noch den Eindruck, daß sie mit uns nichts zu tun haben und stellt sicher, daß wir sie als Kunstwerke erkennen. «Standbilder, die keine Lebensgröße aufweisen, scheinen den Raum, in den sie gestellt werden, stärker zu beleben. Auch regen sie die Phantasie weit mehr an. Lebensgroße Skulpturen erscheinen irgendwie weniger wichtig.» [14]

Das zweite Werkzeug ist Balkenhols tatsächlicher Umgang mit der Farbe. Während die Expressionisten - von Kirchner bis Baselitz - Farben einsetzen, um die Ausdrucksmöglichkeiten einer Statue zu verstärken, dient Balkenhol die Farbe zur Darstellung von Hemden, Hosen, des Haares und anderer Details der Anatomie und Kleidung. Die Haut wird jedoch stets in der natürlichen Farbe und Struktur des Holzes belassen, wodurch die Skulpturen zur Qual des Betrachters zwischen Anonymität und Gleichheit, zwischen Stummheit und Erzählfreudigkeit schweben.

Auch der Sockel der Skulptur dient als Instrument, das Balkenhol Mitte der achtziger Jahre für die subtile Positionierung seiner Figuren in einer jenseits

Fortsetzung Seite 40

13] Vgl. *Possible Worlds*, S. 27.

14] Vgl. Ebenda, S. 28.

Mann mit Lamm
Homme avec agneau
(détail)
1996
Wawaholz bemalt
bois de wawa peint
160 x 24 x 24 cm
Sammlung,
Collection :
Peter M. Hermann

Mann auf Schildkröten
Homme sur tortues
(détail)
1996
Wawaholz bemalt
bois de wawa peint
163,5 x 23,5 x 23,5 cm
Sammlung,
Collection :
von der Recke

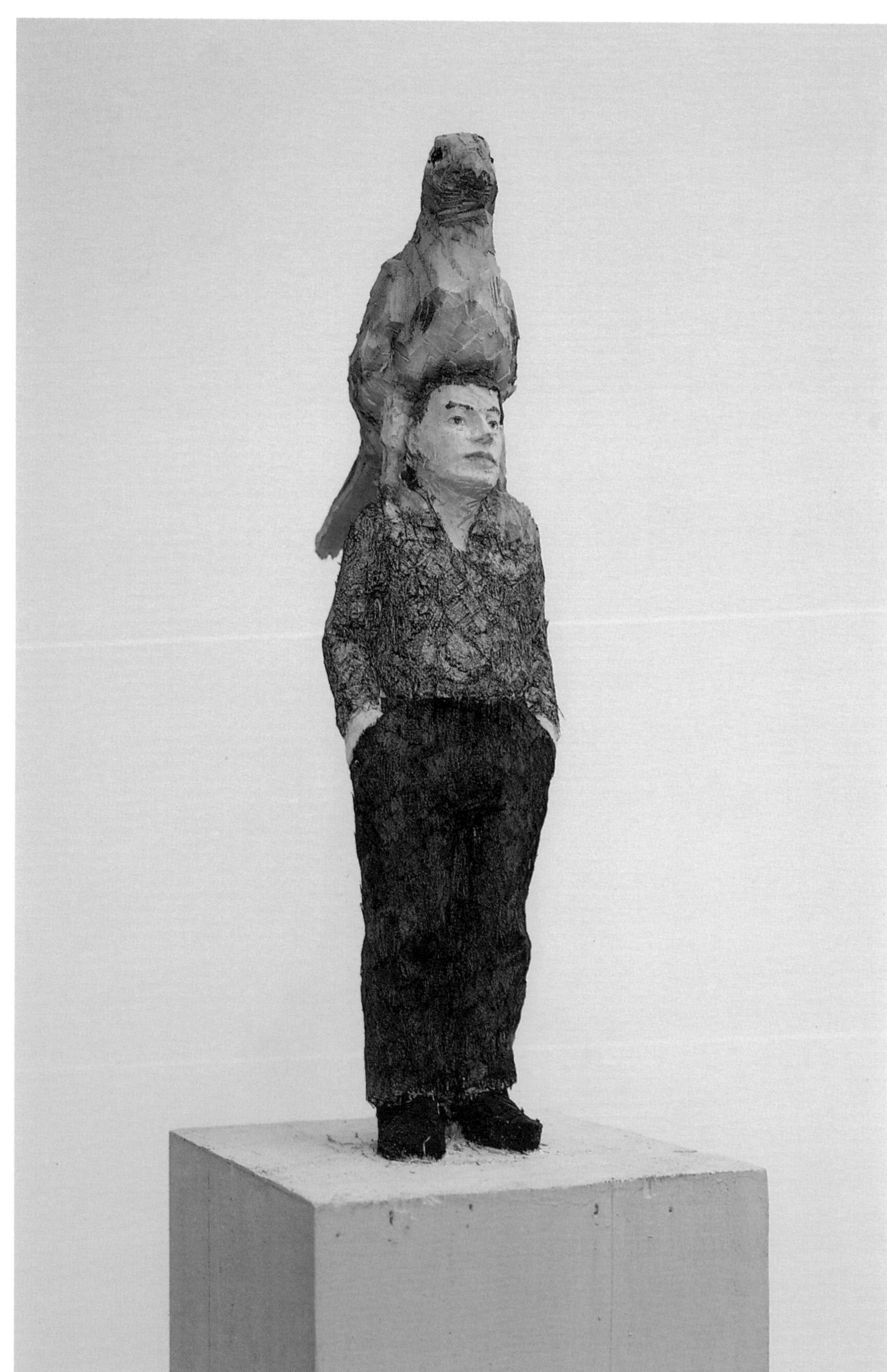

Mann mit Greifvogel
Homme avec oiseau de proie (détail)
1996
Wawaholz bemalt
bois de wawa peint
170 x 23,5 x 24 cm
Privatsammlung,
Collection privée,
München

Mann mit Fisch
Homme avec poisson
(détail) 1996
Wawaholz bemalt
bois de wawa peint
161 x 24 x 23,5 cm
Sammlung,
Collection :
Rolf Glöckler

Architekturmodell
(Mann auf Säule)
Maquette d'architecture
(homme sur une colonne)
1996
Wawaholz bemalt
bois de wawa peint
200 x 40,5 x 40 cm

Architekturmodell
(Mann in Nische)
Maquette d'architecture
(homme dans une niche)
1996
Wawaholz bemalt
bois de wawa peint
175,5 x 40 x 40 cm

Architekturmodell
(Mann auf Treppe)
Maquette d'architecture
(homme sur un escalier)
1996
Wawaholz bemalt
bois de wawa peint
170 x 40,5 x 40,2 cm

unserer Erfahrung liegenden Weise einzusetzen begann. Seit der Bewegung des Minimalismus in den sechziger Jahren haben abstrakte Bildhauer den Sockel längst aufgegeben; sie stellen ihre Werke lieber direkt auf den Boden und steuern dadurch den Maßstab nur noch durch Größe, Form und Farbe. Balkenhol hat den Sockel wieder eingeführt; er schuf neue Formen und Formate um den Eindruck eines unnatürlichen Maßstabs willen und um die Wahrnehmung des Betrachters zu beherrschen. Während jeder der vier jungen Männer in Balkenhols Werk Relief *auf seinem eigenen Baumstamm steht, setzte Balkenhol in den* Drei Figuren *noch ein weiteres Werkzeug ein. Alle drei Skulpturen sind kleiner als lebensgroß und im Kreis dargestellt. Sie sind nebeneinander auf einem einfachen Sockelaufbau montiert, der sie über die Augenlinie des Betrachters hebt. Geschickt zusammengestellt weisen die Figuren eine klassische, friesähnliche Qualität auf, obwohl an ihnen keinerlei narrative Züge festzustellen sind. Sie erscheinen vielmehr als drei voneinander losgelöste Individuen, die lediglich in einer engen, formellen Anordnung zusammengefügt wurden.*

Balkenhols Fähigkeit, zwischen der auf der Straße beobachteten Aktivität der Menschen und dem Expressionismus der traditionellen figürlichen Bildhauerkunst eine Verbindung herzustellen, resultierte in einigen seiner besten und interessantesten Werke. Ein großes Figurenpaar aus dem Jahr 1984 - Großer Mann mit grünem Hemd *und* Großer Mann mit pinkfarbenem Hemd *(jede Skulptur ist über zwei Meter groß) war von Anfang an für einen Gebäudeeingang konzipiert.*[15] *Einerseits lag Balkenhols Schwerpunkt auf einer anders verstandenen Kunsttradition - einer, die einige der dauerhaftesten Monumente in der Geschichte der Bildhauerkunst an Orten von Babylon bis Japan hervorgebracht hatte. Balkenhols männliche Figuren stellen eine Parodie auf die Angehörigen des Militärs dar, die an den Eingängen vor für die Sicherheit bzw. Zeremonien wichtigen Gebäuden Wache halten : Aufrecht, hochdiszipliniert, die Lippen zusammengepreßt. Ihre übertriebene Größe und die schlanken Proportionen erinnern nicht an die hageren Statuen von Wilhelm Lehmbruck, sondern vermitteln vielmehr den Eindruck von zwei steifen, einfältigen Männern, die auf unnatürliche, ja geradezu komische Weise in die Rolle von Wächterskulpturen gedrängt wurden.*

15] Gespräch mit dem Autor, 25. Juni, 1994

du spectateur. Habilement composées, les figures ont une qualité classique rappelant les frises. Ce à quoi elles parviennent bien qu'elles ne portent pas une seule trace de récit. Elles apparaissent plutôt comme trois individus dissociés, reliés uniquement par un arrangement très rigoureux.

Cette capacité à chevaucher la ligne séparant l'activité humaine observée dans la rue et l'expressionnisme de la sculpture figurative traditionnelle permit à Balkenhol de produire certaines de ses œuvres les plus intéressantes et les meilleures. Un couple de grandes figures datant de 1984, *Grand homme avec chemise verte* et *Grand homme avec chemise rose* - mesurant chacune plus de 2,30 mètres de haut - étaient destinées dès le départ à servir de sculptures frontales de porte [15]. D'une part, Balkenhol s'intéressait à une tradition raffinée de l'art, une tradition qui a vu naître certains des monuments les plus durables de l'histoire de la sculpture, de Babylone jusqu'au Japon. Les hommes de Balkenhol sont une parodie des figures militaires qui font le guet devant d'importantes entrées de cérémonie ou de sécurité : droites, très disciplinées, lèvres serrées. Leur hauteur exagérée et leurs fines proportions rappellent non pas les figures adoucies de Wilhelm Lehmbruck, mais plutôt deux hommes raides et gauches, placés de manière non naturelle et même comique dans le rôle de gardiens sculpturaux. De visages et de types corporels similaires, ils ont une attitude inquiète, attendant simplement que quelque chose se passe.

Au milieu des années 80, l'œuvre de Balkenhol commença à attirer l'attention de conservateurs européens et il reçut bientôt des invitations à participer à des expositions de sculptures en plein air. Lorsqu'il était étudiant en sculpture publique, Balkenhol pensait que l'Europe avait été submergée d'œuvres vaines, particulièrement durant la seconde moitié du dix-neuvième siècle. Ce qu'il appelait «un flot de monuments» [16] avait, dans son esprit, tellement usé les possibilités de la sculpture que de nombreux sculpteurs progressistes au début du siècle abandonnèrent complètement la figure. Balkenhol est toutefois prompt à faire remarquer que, si la sculpture abstraite a souvent supplanté l'œuvre figurative dans les commandes pour l'extérieur, la prolifération de l'abstraction publique est elle-même devenue académique :

15] Conversation avec l'auteur, 25 juin 1994.

16] Extrait de *Binationale*, p. 68.

Mit ähnlichen Gesichtern und sich gleichendem Körpertyp stehen sie nervös in Hab-Acht-Stellung und warten einfach darauf, daß etwas passiert.

Balkenhols Arbeiten der Mittachtziger fielen den europäischen Kuratoren auf und schon bald erhielt er Einladungen, an unter freiem Himmel stattfindenden Ausstellungen teilzunehmen. Als Student der Fachrichtung öffentliche Bildhauerkunst vertrat Balkenhol die Auffassung, daß Europa insbesondere in der zweiten Hälfte des neunzehnten Jahrhunderts mit nutzlosen Arbeiten verunstaltet worden war. Was er als «Denkmalflut»[16] *bezeichnete hatte - so meinte er - die Möglichkeiten, die die Bildhauerei bzw. Skulpturen eröffnen so sehr mißbraucht, daß viele progressive Bildhauer Anfang des zwanzigsten Jahrhunderts die figürliche Bildhauerei insgesamt aufgaben. Balkenhol weist jedoch zugleich auf folgendes hin: Während bei in der letzten Zeit erteilten Aufträgen zur bildhauerischen Landschaftsgestaltung die abstrakte Bildhauerkunst die figürliche oft verdrängt hat, ist die Verbreitung der Abstraktion in der Öffentlichkeit mittlerweile selbst akademisch geworden : «Vor hundert Jahren waren in jedem Park Amor und Psyche sowie* Adelsstandbilder *zu sehen ; heute sind es die modernen Skulpturen von Richard Serra.»*[17]

Balkenhol hatte Mitte 1980 erstmals Gelegenheit, unter freiem Himmel zu arbeiten. Die Bildhauerkunst bzw. Skulpturen für der Öffentlichkeit zugängliche Bereiche stellten ihn vor eine ganze Reihe neuer Herausforderungen. Dazu gehörten auch Fragen bezüglich geeigneter Inhalte und dauerhafter Materialien. 1984 schuf Balkenhol ein Löwenpaar. Einer von ihnen - Lion *- war aus Holz geschnitzt und mußte in Teilen zusammengefügt werden. Bei dem zweiten handelte es sich um einen aus Beton gegossenen Löwen, der in Hamburg vorübergehend im Freien aufgestellt wurde. Balkenhol - von Natur aus Schnitzer - fand den Vorgang des Modellierens in Gips und das darauffolgende Gießen vom Original etwas umständlich. Doch Holz eignet sich für Installationen im Freien eben nicht. Und so kreierte Balkenhol seine ersten beiden größeren, für das Freie bestimmten Werke - den* Reiter *für die Skulpturenausstellung unter freiem Himmel im Jenisch-Park in Hamburg und den* Mann mit grünem Hemd und weißer Hose *für die «Skulptur Projekte Münster» - in Beton.*

16] Vgl. in *Binationale : Deutsche Kunst der späten 80er Jahre*, S. 68.

17] Vgl. in *"The Body Is Present"*, ein Artikel für das Symposium des 13. Dezember 1992, anläßlich Balkenhols Austellung in Rotterdam, herausgestellt von dem Witte de With Center for Contemporary Art in *Die Konferenzen* (1993), S. 92.

«il y a cent ans, on voyait dans tous les parcs des statues d'Amour et Psyché ainsi que des *Adelstandbilder*, ou portraits sculptés de la noblesse. Aujourd'hui, on trouve des sculptures modernes de Richard Serra.» [17]

Les premières occasions de travailler pour l'extérieur vinrent pour Balkenhol au milieu des années 80. La sculpture publique lui propose une série de nouveaux défis, parmi lesquels des questions concernant la pertinence du contenu et la résistance du matériau. En 1984, Balkenhol réalisa un couple de lions dont l'un, *Lion*, était sculpté en bois et dont les pièces devaient être assemblées. L'autre était coulé dans le béton et fut temporairement exposé en plein air à Hambourg. Sculpteur par tempérament, Balkenhol trouvait le procédé de moulage en plâtre suivi du modelage d'après l'original un peu rébarbatif. Cependant, le bois n'est pas bien adapté à une installation extérieure, et Balkenhol composa ses deux premières pièces importantes d'extérieur - *Cavalier* pour l'exposition de sculptures en plein air du Parc Jenisch à Hambourg et *Homme avec chemise verte et pantalon blanc* pour l'exposition «Skulptur Projekte Münster » - en béton.

Selon ses propres termes, ces deux projets contribuèrent à déterminer l'attitude de Balkenhol envers le travail en plein air. Pour l'exposition de Hambourg, il installa *Cavalier* dans un parc bien entretenu. L'artiste déclara :

Le Parc Jenisch est un impeccable parc anglais. En réalité, il n'avait besoin d'aucune œuvre d'art, parce qu'il est beau et complet en lui-même. Pour Cavalier, *j'avais choisi l'espace circulaire devant la Maison Jenisch où je pouvais établir une connexion avec le bâtiment. Ainsi, je pouvais créer une corrélation entre la maison, le parc et la sculpture - une structure apparemment harmonieuse - prenant pour modèle un prototype classique. Ce n'est qu'en observant bien que l'on remarquait la dissonance de l'installation. La sculpture équestre ne se fondait pas dans l'ensemble mais se faisait au contraire remarquer par son échelle inférieure à la grandeur nature, sa posture, son expression et surtout son piédestal de fortune.* [18]

Le monument équestre était tombé en disgrâce et Balkenhol décida de se mesurer non à des artistes de ce siècle tel que Marino Marini, mais plutôt à la glorieuse tradition

17] Extrait de *«Le corps est présent»*, article présenté lors du symposium du 13 décembre 1992 à l'occasion de l'exposition de Balkenhol à Rotterdam et publié par le Centre pour l'Art Contemporain Witte de Wit sous le titre *Les Conférences* (1993), p. 92.

18] Extrait de *Künst im öffentlichen Raum : Anstösse der 80er Jahre* (Cologne : DuMont, 1989) ; p. 260. Traduction par Stéphanie Jacoby.

Balkenhol räumt ein, daß diese beiden Projekte dazu beitrugen, seine Einstellung zu Arbeiten unter freiem Himmel zu finden bzw. zu festigen. Für die Hamburger Ausstellung stellte er den Reiter in einem öffentlichen Park auf. Der Künstler merkte an :

Der Jenisch-Park ist ein perfekter englischer Park. Kunstwerke sind wirklich nicht erforderlich, denn er ist schön und in sich selbst vollendet. Für den *Reiter* wählte ich den runden Platz vor dem Jenisch-Haus; dort konnte ich eine Beziehung zu dem Gebäude herstellen. Dabei gelang es mir, eine Korrelation zwischen dem Haus, dem Park und der Skulptur zu schaffen - eine scheinbar harmonische Struktur - modelliert nach einem klassischen Prototyp. Erst wenn man genauer hinsah, bemerkte man die Dissonanz der Installation. Das Reiterstandbild fügte sich nicht ein, sondern fiel durch die kleinere Dimension als lebensgroß, durch seine Pose, seinen Ausdruck und nicht zuletzt aufgrund seines behelfsmäßig wirkenden Podestes auf. [18]

Das Reiterstandbild wurde dann nicht mehr gebraucht und Balkenhol entschloß sich, sich selbst zu prüfen - nicht im Vergleich zu Künstlern wie dem aus diesem Jahrhundert stammenden Marino Marini, sondern vielmehr in Bezug auf die ruhmvolle historische Tradition. Das lange Zeit zur Ehrung heldenhafter politischer und militärischer Leistungen dienende Reiterstandbild zeigt in der Regel einen Reiter hoch zu Roß hoch auf einem Podest, auf dem über die Taten des großen Mannes berichtet wird. Balkenhols Reiter *trotzt diesen Konventionen. Physisch keineswegs imposant und unbekleidet bis zur Taille sitzt er - die Hände an der Seite angelegt - auf einem ungesattelten Pferd. Kleiner als lebensgroß verkörpern Pferd und Reiter den Inbegriff von Stille und Ruhe. Durch das Postament werden die Skulpturen zwar erhöht, doch seine Schlichtheit spricht der Skulptur in voller Absicht jegliche Monumentalität ab.*

Die «Skulptur Projekte Münster» boten Balkenhol eine ganz andere Gelegenheit - in Form einer großen, prominenten Ausstellung der Öffentlichkeit zugänglicher Kunst im städtischen Umfeld. Als einer der vielen Bildhauer, die beauftragt worden waren im Sommer 1987 Werke in der ganzen Stadt aufzustellen, unterschied sich Balkenhol konzeptionell von denjenigen Kollegen, die gut sichtbare Aufstellungsorte wählten. Statt dessen brachte er ein Relief lieber an einer schwer zu beschreibenden, unauffälligen Mauerwand eines zweistöckigen Hauses über einem Tabakladen an. Nachdem er

18] Vgl. in *Kunst im öffentlichen Raum : Anstösse der 80er Jahre* (Köln : DuMont, 1989), S. 260

historique. Longtemps utilisé comme moyen d'honorer l'héroïsme politique ou l'exploit militaire, le monument équestre représente habituellement un cavalier chevauchant un étalon, placé en haut d'un piédestal où sont rapportés les exploits du héros. Cependant, le *Cavalier* de Balkenhol défie ces conventions. Physiquement non imposant et nu jusqu'à la taille, il est assis les mains le long du corps et monte à cru. Plus petit que grandeur nature, le cheval et le cavalier forment ensemble l'essence de l'immobilité et de la tranquillité. Le socle en forme de table surélève la figure, mais sa simplicité sans prétention retire intentionnellement à la sculpture tout sens de monumentalité.

«Skulptur Projekte Münster» offrit à Balkenhol une occasion très différente, sous forme d'une gigantesque et importante exposition d'art public dans un environnement urbain. Balkenhol, l'un des nombreux sculpteurs chargés d'installer des œuvres dans la ville durant l'été 1987, divergeait conceptuellement des individus qui choisirent des endroits très visibles. Il choisit plutôt de monter un relief sur un mur de maçonnerie quelconque, à peine visible, au second étage d'un bureau de tabac de Münster. Ayant découvert les vestiges d'une ancienne cheminée incrustée dans le mur, il choisit un élément horizontal existant qui devait servir de mince présentoir sur lequel placer sa sculpture moulée en béton *Homme avec chemise verte et pantalon blanc*. L'emplacement était si extraordinaire qu'un passant prit la sculpture pour un homme en danger et appela la police[19]. Ce type de réaction allait être caractéristique de la réponse du public envers les œuvres suivantes de Balkenhol pour l'extérieur, comme ce fut le cas pour son installation sur la Tamise en 1992. Les emplacements qu'il choisit sont si inattendus et si totalement convaincants que le public a tout lieu de croire que les figures sont vivantes. L'artiste déclara ultérieurement : «Je préfère voir mes œuvres dans un contexte d'architecture existante plutôt que dans de grands espaces ouverts.» [20]

La participation de Balkenhol au projet de Münster marqua un tournant dans sa carrière. Bien que son travail ait été montré lors de plusieurs expositions personnelles en galerie et de petites expositions de groupe en musée, sa sculpture n'avait jamais été vue en si éminente compagnie. «Skulptur Projekte Münster» avait précédemment eu lieu

19] Jean-Christophe Ammann, *Stephan Balkenhol* (Bâle : Kunsthalle Basel, 1988), n.p.

20] Conversation avec l'auteur, 10 novembre 1992.

entdeckt hatte, daß die Wand Reste eines früheren Kamins aufwies, wählte er ein schon vorhandenes horizontales Element aus, das ihm als dünnes Regalbrett diente, um darauf seine aus Beton gegossene Skulptur Mann mit grünem Hemd und weißer Hose *aufzustellen. Diese Standortwahl überraschte so sehr, daß ein Passant die Skulptur doch tatsächlich für einen in Gefahr befindlichen Mann hielt und die Polizei rief.* [19] *Diese Reaktion ist für das Echo in der Öffentlichkeit, das Balkenhols darauffolgende Werke unter freiem Himmel fanden, charakteristisch - wie z.B. anläßlich der Installation in der Themse im Jahr 1992. Die von ihm ausgewählten Aufstellungsorte sind so unerwartet und so hundertprozentig überzeugend, daß man einfach annehmen muß, daß die Figuren leben. Der Künstler wiederholte später immer wieder: «Ich sehe meine Arbeiten lieber im Kontext der bereits vorhandenen Architektur und nicht in großen, offenen Räumen.»* [20]

Balkenhols Teilnahme an den «Skulptur Projekten Münster» stellte einen Durchbruch in seiner Karriere dar. Obwohl seine Arbeiten schon in mehreren Einzelausstellungen in Galerien und kleinen Museums-Gruppenausstellungen gezeigt worden waren, konnte man seine Skulpturen noch nie in einer derart erlesenen Gesellschaft besichtigen. Die «Skulptur Projekte Münster» waren schon einmal 1977 durchgeführt worden. Die Ausstellung des Jahres 1987 wurde von zwei bekannten deutschen Kuratoren - Klaus Bussmann und Kasper König - organisiert, die viele der führenden Bildhauer Europas und der Vereinigten Staaten eingeladen hatten, sich an der Veranstaltung zu beteiligen. [21] *Nicht nur wegen der gezeigten Werke sondern auch historisch gesehen war die Ausstellung bedeutend, da dort eine entscheidende Veränderung in der Haltung der Bildhauer hinsichtlich des Konzepts der spezifischen Wirkung des Aufstellungsortes zu verzeichnen war. Laut einer den Bewegungen des Minimalismus und der* Earthworks *in den sechziger und siebziger Jahren zugrundeliegenden Annahme in Bezug auf die spezifische Wirkung des Aufstellungsortes konnten Bildhauer einen gegebenen Standort kreativ und gelegentlich auch absolut beherrschen. Wurde ihnen die künstlerische - wenn nicht gar die gesetzliche - Obhut hinsichtlich des Aufstellungsortes übertragen, so zeigten sich die Künstler bei der Realisierung ihrer formalistischen Vorstellungen häufig jedoch ziemlich eigenwillig und halsstarrig. In ihrer reinsten Ausdrucksform hat die aufstellungsortspezifische Bildhauerei die Form*

19] Jean-Christophe Ammann, *S.B.* (Basel : Kunsthalle Basel, 1988), n.p.

20] Gespräch mit dem Autor, 10. November 1992

21] Vgl. Klaus Bussmann und Kasper König, Skulptur Projekte Münster (Köln, DuMont, 1987)

en 1977, et l'exposition de 1987 fut organisée par deux conservateurs allemands bien connus, Klaus Bussmann et Kasper König, qui invitèrent de nombreux sculpteurs européens et américains de premier plan.[21] L'exposition fut importante d'un point de vue historique car elle marqua un changement d'attitude décisif parmi les sculpteurs concernant le concept de la spécificité au site. Hypothèse sous-jacente au Minimalisme et aux «*Earthworks*»* dans les années 60 et 70, la spécificité du site supposait à l'origine que le sculpteur exerçât un contrôle créatif et parfois absolu sur un lieu donné. Détenteurs de la propriété artistique sinon légale du site, les artistes s'entêtaient souvent à appliquer leurs conceptions formelles. Dans son expression la plus pure, la sculpture spécifique au site prit la forme de gigantesques excavations visionnaires pratiquées dans le paysage par Michael Heizer, Robert Smithson et, plus récemment, James Turrell. D'autre part, les Minimalistes et les Post-minimalistes tels que Carl Andre, Robert Morris et Richard Serra créèrent de monumentales sculptures spécifiques au site. Tandis que les sculpteurs d'*Earthworks* transformaient le paysage, les Minimalistes imposaient le plus souvent timidement leur propre vocabulaire formel hautement personnel à un lieu donné. Les deux sculptures spécifiques au site les plus remarquables du point de vue historique sont sans doute la *Spiral Jetty* de Smithson, datant de 1970, une spirale de rochers créée au bulldozer qui s'étendait dans le Grand Lac Salé et fut finalement submergée lorsque le niveau des eaux monta, et le *Tilted Arc* de Serra datant de 1981 dans la partie basse de Manhattan, que l'artiste proclama détruit lorsque l'œuvre impopulaire et controversée fut enlevée.

Fig. 3
Trunk (1987)
Richard Serra

«Skulptur Projekte Münster» de 1987 incluait un certain nombre de travaux spécifiques au site parmi lesquels une sculpture particulièrement bien intégrée de Serra, *Trunk* (fig. 3), une énorme parenthèse en acier laminé placée près de l'entrée du Palais Erbdrostenhof. Significativement, *Dolomite coupée* de Ulrich Rückriem datant de 1976, une série de neuf monolithes de dolomite installée à l'occasion du «Skulptur Projekte Münster» de 1977 et retirée en 1981 à la suite d'une longue polémique publique, fut réinstallée à un nouvel emplacement. Pourtant, si les pièces produites

21] Cf. Klaus Bussmann et Kasper König, *Skulptur Projekte Münster* (Projets de Sculpture à Munster) (Cologne : DuMont, 1987).

* NdT : «Earthworks» désigne historiquement une catégorie d'œuvres littéralement inscrites dans la nature, à la surface de la planète.

enormer visionärer Erdbewegungen in der Landschaft angenommen - wie z.B. bei Michael Heizer, Robert Smithson und in jüngerer Zeit auch bei James Turrell. Andererseits haben Minimalisten und Post-Minimalisten wie Carl Andre, Robert Morris und Richard Serra monumentale, standortspezifische Skulpturen geschaffen. Während die Earthworks-Bildhauer *die Landschaft veränderten, übertrugen die Minimalisten in den meisten Fällen ihre eigene, höchst persönliche formalistische Sprache selbstbewußt auf einen gegebenen Aufstellungsort. Bei den beiden historisch vielleicht bemerkenswertesten standortspezifischen Skulpturen handelt es sich um Smithsons* Spiral Jetty *(1970) - eine mit Bulldozern geschaffene Fels- bzw. Steinspirale, die bis in den Great Salt Lake reichte und bei Ansteigen des Wasserspiegels schließlich überflutet wurde - und um Serras* Tilted Arc *(1981) in Lower Manhattan, den der Künstler für zerstört erklärte, nachdem das kontrovers diskutierte unpopuläre Werk schließlich entfernt worden war.*

Die 1987 durchgeführten «Skulptur Projekte Münster» umfaßten eine Reihe traditioneller, aufstellungsortspezifischer Arbeiten - darunter die besonders gelungen integrierte Skulptur Serras Trunk (fig. 3) *- eine enorme Klammer aus gewalztem Stahl, deren Aufstellung in der Nähe des Eingangs des Erbdrostenhof-Palastes erfolgte. Interessanterweise wurde Ulrich Rückriems* Abgeschnittener Dolomit *(1976) - neun Dolomit-Monolithe, die 1977 anläßlich der «Skulptur Projekte Münster» installiert und 1981 nach nicht enden wollender öffentlicher Kritik wieder entfernt worden waren - an einem anderen Standort erneut aufgestellt. Und doch - auch wenn die Werke Serras und Rückriems vollendet waren - die unwiderstehlichsten Arbeiten der Ausstellung stammten fraglos von jüngeren Künstlern, deren Reaktion eben anders war. Statt monumentale formelle Aussagen zu betonen reagierten sie flexibel auf die von ihnen gewählten Aufstellungsorte, und ihre Werke wiesen gleichermaßen Inhalt und Form auf. Der Unterschied könnte so ausgedrückt werden : Während die ältere Generation einem Aufstellungsort eine Lösung «aufzwang», «intervenierten» die jüngeren Künstler eben.*

Die anläßlich der Ausstellung in Münster gezeigten Arbeiten der jungen Künstler zählen zu den bekanntesten und wichtigsten Skulpturen in ihren jeweiligen Oeuvres. Rebecca Horns Konzert Verkehrt *(1987) wurde im Zwinger gezeigt - einer aus dem sechzehnten*

par Serra et Rückriem étaient parfaites, on peut soutenir que les travaux les plus convaincants de cette exposition furent réalisés par des artistes plus jeunes dont les réponses étaient d'un ordre différent. Plutôt que d'insister sur des formulations monumentales en bonne et due forme, ils réagirent avec flexibilité aux sites choisis et leurs travaux prennaient en compte autant le contenu que la forme. La distinction peut être faite de la manière suivante : tandis que la génération plus âgée «imposait» une solution à un site, les plus jeunes sculpteurs y «intervenaient».

Les travaux des jeunes artistes présentés à l'exposition de Münster figurent parmi les sculptures les plus connues et les plus importantes de leurs œuvres respectifs. Le *Concert à l'envers* de Rebecca Horn datant de 1987 fut installé au Zwinger, une forteresse civile et ancienne prison du seizième siècle. Le bâtiment avait été utilisé comme abri durant la première Guerre Mondiale et comme prison à la fin de la seconde Guerre Mondiale. Pratiquement détruit à la fin de celle-ci, le Zwinger était depuis lors fermé au public. Horn obtint la permission de rouvrir la structure et d'y installer un certain nombre d'objets, parmi lesquels quarante marteaux mécaniques qui frappaient poétiquement contre diverses surfaces du bâtiment. Jeff Koons recoula en acier inoxydable un point de repère populaire à Münster, le *Kiepenkerl*, une petite sculpture en bronze représentant un fermier portant au marché un panier de produits. La sculpture originale, qui fut détruite durant la seconde Guerre Mondiale, avait été remplacée par une réplique en 1953.

Horn et Koons s'inspiraient de l'histoire locale et se plaçaient à un niveau psychologique, mais chacun employait un vocabulaire dont la forme et le contenu étaient en accord avec leur travail antérieur et leur étaient propres. Pour d'autres artistes, tels que Thomas Schütte et Katharina Fritsch, la spécificité du site offrait une occasion de dépouiller l'art public de sa dimension monumentale par le biais d'un contenu non orthodoxe et même d'un emplacement banal. Avec *Kirschensäule* datant de 1987, Schütte rendit un hommage ironique et inspiré du Pop art aux cerises qui poussaient dans toute la région, en les installant en hauteur sur un socle placé dans un parking. Fritsch installa sa *Madone* de taille humaine, une réplique en polyester jaune vif de la Madone de Lourdes, directement sur le sol, au milieu d'une zone piétonne près de l'église des Dominicains.

Jahrhundert stammenden Festung und früheren Gefängnis. Das Bauwerk hatte Bürgern während des 1. Weltkriegs Schutz geboten und wurde gegen Ende des 2. Weltkriegs als Gefängnis genutzt. Zu dem bei Kriegsende fast völlig zerstörten Zwinger hatte die Öffentlichkeit seither keinen Zutritt. Horn holte die Genehmigung zur Öffnung des Gebäudes und zur Aufstellung einer Reihe von Objekten ein - darunter vierzig mit Motor ausgestattete Hämmer, die poetisch gegen verschiedene Gebäudeflächen schlugen. Jeff Koons goß ein beliebtes Wahrzeichen Münsters, den Kiepenkerl - eine kleine Bronzeskulptur, die einen Bauern darstellt, der seine landwirtschaftlichen Produkte in einem Korb zum Markt trägt - in Edelstahl. Die im 2. Weltkrieg zerstörte Originalfigur hatte man 1953 durch eine Replik ersetzt.

Horn und Koons befaßten sich mit der Ortsgeschichte und agierten auf psychologischer Ebene - doch die beiden Künstler verwendeten Ausdrucksformen und Inhalte, die mit ihren früheren Arbeiten harmonisch in Einklang standen und bei denen es sich deutlich erkennbar um ihre eigenen handelte. Anderen Künstlern - wie beispielsweise Thomas Schütte und Katharina Fritsch - bot die spezifische Wirksamkeit des Aufstellungsortes Gelegenheit, die der Öffentlichkeit zugängliche Kunst durch unorthodoxe Inhalte und eine profane Standortwahl zu demonumentalisieren. Mit der Kirschsäule (1987), die er auf einem Parkplatz hoch auf einem Sockel anbrachte, zollte Schütte den Kirschbäumen, die es in der ganzen Region gibt, einen ironischen, von Popart inspirierten Tribut, und die Künstlerin Fritsch stellte ihre lebensgroße Madonna - eine hellgelbe Polyester-Replik der Madonna von Lourdes - inmitten einer Fußgängerzone in der Nähe der Dominikanerkirche direkt auf dem Boden auf.

Balkenhol schloß sich der von diesen Künstlern entschlossen propagierten Ablehnung der auf die aufstellungsortspezifische Wirkung abzielenden Bildhauerei an, doch Werke wie der Reiter und Mann mit grünem Hemd und weißer Hose zeigen, daß der Künstler auch andere Ziele verfolgte. Ein direkter Vergleich mit Koons ist hier aufschlußreich. Dessen Arbeit und die ihr zugrundeliegenden Vorstellungen und Strategien stehen in einer starken Resonanzbeziehung zur weltweiten Praxis zeitgenössischer Kunst. Er entwirft seine Skulpturen auf der Grundlage vorhandener Prototypen, und die Werke werden dann von gelernten Kunsthandwerkern angefertigt.

Balkenhol avait en commun avec ces artistes de déconstruire résolument la sculpture spécifique au site, mais des œuvres telles que le *Cavalier* et *Homme avec chemise verte et pantalon blanc* montrent que l'artiste poursuivait également d'autres voies. Une comparaison plus directe avec Koons est très instructive sur ce plan-là. L'œuvre de Koons et les idées et stratégies qui l'étayent ont une forte répercussion dans le monde de l'art contemporain. Il conçoit ses sculptures à partir de prototypes existants et ses œuvres sont fabriquées par des artisans spécialisés. Par ce processus, il teste les limites séparant la sculpture et le kitsch, remettant en question les définitions traditionnelles de la valeur monétaire et intrinsèque de l'art. Au contraire, Balkenhol est le créateur accompli, réalisant ses sculptures à la main sans aide extérieure. En dépit de ses procédés, la réévaluation de l'histoire de la sculpture par Balkenhol couvre un champ très large, allant de l'histoire des monuments équestres à une redéfinition de la statuaire figurative publique. Peut-être pour la première fois dans l'histoire de l'art européen, des personnages simples - des hommes et des femmes empreints de naturel et engagés dans aucune activité définie - sont placés dans les lieux publics les plus invraisemblables.

La position inhabituelle de Balkenhol dans l'art contemporain a fait l'objet d'un essai publié par l'artiste Jeff Wall en 1988[22]. Wall examine le travail de Balkenhol dans le contexte de la sculpture des années 70 et 80, soulignant le bannissement virtuel du corps dans la quasi-totalité de l'art le plus progressiste durant la période moderne et la dépréciation de la sculpture figurative publique aux mains des commissions officielles. Pour Wall, l'abolition virtuelle de la figure - sauf dans les photographies et la vidéo - avait pris des proportions presque idéologiques dans certains cercles durant les années 80, lorsque toute référence à l'individu était considérée comme hérétique. Selon Wall, le travail de Balkenhol offrait la possibilité pour des artistes progressistes de reconsidérer la figuration sans céder à un historicisme inutile ou à un succédané d'expressionnisme. Wall écrivit que l'œuvre de Balkenhol "pratique rarement le nu et [qu']elle ne comporte pas d'attributs de profession, de travail ou d'action. Elle se développe comme une figure humaine incomplètement particularisée, qui ne se réduit ni à une maigre individualité solitaire ni à un «Denkmodell» (idée

22] Jeff Wall, *«Bezugspunkte im Werk von Stephan Balkenhol»*, in *Stephan Balkenhol* (Kunsthalle Basel, 1988), n.p. L'essai est réédité en langue anglaise originale dans *S.B., über Menschen und Skulpturen* (à propos d'hommes et de sculptures), pp. 98-102.

Dabei prüft er die Grenzen zwischen Skulptur und Kitsch, stellt traditionelle Definitionen hinsichtlich des eigentlichen, des inneren und monetären Wertes der Kunst in Frage. Balkenhol dagegen ist der vollendete Handwerker. Er schnitzt seine Skulpturen von Hand - ohne jede Hilfe. Trotz seiner Vorgehensweise ist Balkenhols Neubewertung der Geschichte der Bildhauerei breit angelegt und umfassend; sie reicht von der Geschichte der Reiterstandbilder bis hin zu einer Neudefinition der öffentlich gezeigten figürlichen Bildhauerkunst. Einfache Figuren - ungekünstelte Männer und Frauen, die einer nicht erkennbaren Tätigkeit nachgehen - werden vielleicht zum ersten Mal in der Kunst des westlichen Abendlandes an den unwahrscheinlichsten, der Öffentlichkeit zugänglichen Standorten aufgestellt.

Balkenhols ungewöhnliche Stellung in der zeitgenössischen Kunst ist Thema eines Essays, das der Künstler Jeff Wall 1988 veröffentlichte.[22] *Wall bespricht darin Balkenhols Arbeit im Kontext der Bildhauerkunst der siebziger und achtziger Jahre - wobei er sich mit der faktischen Verbannung des Körpers aus den meisten progressiven Kunstarten in der Moderne sowie mit der Geringschätzung der offiziellen Stellen bezüglich der der Öffentlichkeit zugänglichen figürlichen Bildhauerkunst auseinandersetzt. Für Wall hat die faktische Abschaffung der Figur - mit Ausnahme in der Fotografie und auf Videotapes - in den achtziger Jahren in einigen Kreisen nahezu ideologische Ausmaße angenommen, als jede Bezugnahme auf das Individuum als ketzerisch angesehen wurde. Nach Walls Beurteilung bot Balkenhols Arbeit die Möglichkeit, daß progressive Künstler die figürliche Gestaltgebung bzw. Darstellung neu überdenken konnten, ohne sich nutzlosen geschichtlichen Ergebungen oder einem süßlichen Expressionismus hinzugeben. Wall schrieb, daß Balkenhols Werk «selten nackt ist und keine Attribute der Besitzergreifung, von Arbeit oder Engagement aufweist. Es stellt sich als unvollständig partikularisierte menschliche Figur dar, die weder auf klägliche Individualität und Einsamkeit noch auf ein transzendentes Denkmodell klassizistischer oder neoexpressionistischer Art reduziert ist». Im weiteren charakterisiert Wall Balkenhols «blasse, monadische Figuren» wie folgt :*

Es sind Menschen, die erst vor kurzem nach schwerer Krankheit aus dem Krankenhaus entlassen wurden und noch nicht wirklich zum aktiven Leben zurückkehren können.

22] Jeff Wall, «Bezugspunkte im Werk von Stephan Balkenhol», in *Stephan Balkenhol* (Kunsthalle Basel, 1988), n.p. Der Essay wurde in der englischen Urfassung *S.B. über Menschen und Skulpturen* gedruckt, S. 98-102

abstraite) transcendant, qu'il soit classique ou qu'il soit néo-expressionniste". Wall continue ainsi la description des «pâles figures monadiques» de Balkenhol : *des gens qui sont récemment sortis de l'hôpital après une grave maladie, qui ne peuvent pas encore complètement retourner à la vie active mais qui peuvent s'habiller normalement et à nouveau faire face à des situations .Comme des convalescents, leur principale occupation est de guérir. Bientôt, ils pourront reprendre leurs outils et recommencer à tisser des relations sociales complexes et stressantes.*[23]

L'essai de Wall, l'un des premiers commentaires écrit par ses contemporains sur le travail de Balkenhol, eut pour circonstance le catalogue accompagnant la première exposition itinérante de Balkenhol organisée par la Kunsthalle de Bâle en 1988 et présentée ultérieurement à Francfort et Nuremberg. Si les projets de plein air pour Hambourg et Münster avaient énormément accaparé Balkenhol en 1986 et 1987, l'exposition de Bâle révéla les nouvelles directions suivies par l'artiste dans son travail d'atelier, particulièrement un intérêt nouveau pour le bas-relief. Ses premiers travaux dans ce format, *Têtes en relief 1-6* sont des études sur six panneaux en peuplier de formes irrégulières. Pour la première fois, Balkenhol sculpta d'après nature, à partir de modèles réels posant dans son atelier. Si sa méthode spontanée était impressionniste et potentiellement expressive, le résultat resta sobre : chaque individu est représenté de manière générale.

Après les six panneaux, Balkenhol réalisa *Douze amis*, une série de douze bas-reliefs représentant six jeunes hommes et six jeunes femmes, actuellement montés en grille. Le titre *Douze amis* suggérait discrètement la possibilité de l'art du portrait, un point de vue que Balkenhol a logiquement et énergiquement refusé. Ce qui ne pouvait être nié, toutefois, était sa représentation uniforme de sujets jeunes - des figures appartenant clairement à la propre génération de l'artiste. Balkenhol en vint à être comparé à Wall la plupart du temps - son travail fut en particulier comparé aux premières séries de Wall, *Young Workers / Jeunes travailleurs*, et à Thomas Ruff, qui photographiait de jeunes hommes et femmes avec une objectivité clinique basée sur la relative similarité d'âge, de vêtements, d'attitude et d'expression du visage.

23] Ibid.

Sie sind jedoch in der Lage, sich ganz normal anzuziehen und den Dingen wieder ins Auge zu sehen. Wie bei Rekonvaleszenten besteht auch ihre Hauptaufgabe darin, erst einmal voll zu genesen. Bald können sie sich wieder rüsten, um ihre komplexen, stressigen gesellschaftlichen Beziehungen erneut aufzunehmen.[23]

Bei den ersten Anlässen, zu denen Balkenhols Zeitgenossen über seine Arbeit schrieben, handelte es sich im Falle von Walls Essay um den Katalog der ersten Wanderausstellung Balkenhols, die 1988 von der Kunsthalle Basel organisiert wurde und anschließend in Frankfurt und Nürnberg zu sehen war. Wenn die unter freiem Himmel realisierten Projekte - Hamburg und Münster - Balkenhol 1986/87 auch viel Zeit gekostet hatten, so zeigte die Ausstellung in Basel, daß der Künstler mit seiner Arbeit im Atelier neue Richtungen verfolgte. An erster Stelle stand dabei sein neues Interesse am Flachrelief. Bei seinen ersten Werken in Bas-Relief Kopfrelief 1 - 6 *handelte es sich um Studien zu sechs unregelmäßig geformten Platten aus Pappelholz. Es war das erste Mal daß Balkenhol «aus dem Leben» schnitzte - mit Modellen im Atelier. Auch wenn diese spontane Vorgehensweise impressionistisch und potentiell expressiv war, so hielt sich das Ergebnis doch in Grenzen : Jeder einzelne wurde nur in groben Zügen portraitiert.*

Auf die sechs Reliefs folgte das Werk Zwölf Freunde *- eine Bas-Relief-Serie, die sechs junge Männer und Frauen darstellt. Der Titel* Zwölf Freunde *suggeriert in subtiler Weise die Möglichkeit der Portraitierung - eine Möglichkeit, die Balkenhol konsequent und nachdrücklich von sich weist. Unbestreitbar ist jedoch seine einheitliche Darstellung jugendlicher Gestalten - Figuren, die eindeutig derselben Generation wie der Künstler angehören. Balkenhols Arbeit wurde häufig mit der Walls verglichen - insbesondere mit seiner frühen Serie* «Young Workers» *sowie mit Thomas Ruff, der junge Männer und Frauen mit nüchterner Objektivität auf der Grundlage ihres relativ gleichen Alters, ihrer ebensolchen Kleidung und Pose sowie ihres ähnlichen Gesichtsausdruckes fotografierte.*

Unter dem Gesichtspunkt moderner Tradition betrachtet berührt Balkenhols Werk Zwölf Freunde *zwei zwar getrennte, aber dennoch verwandte Richtungen. Zur ersten gehören Fotografen mit analytischer Neigung, die die Kamera als archäologisches Machtmittel zur methodischen Konstruktion einer präzisen, wenn nicht gar objektiven*

23] Ebenda

Vu dans le cadre de la tradition moderne, *Douze amis* de Balkenhol évoque deux directions distinctes mais liées. La première implique des photographes d'un penchant analytique qui utilisent l'appareil comme un archéologue pourrait le faire - pour méthodiquement constituer un dossier typologique précis, sinon objectif, de sujets tout à fait particuliers. On peut ici mentionner des travaux effectués par plusieurs artistes de ce siècle : *Visage du temps* d'August Sander, commencé en 1924, les images de structures industrielles de Bernhard et Hilla Becher dès 1957, ainsi que les travaux plus récents de Wall et Ruff. L'autre direction est similaire du point de vue formel mais moins analytique de par sa dépendance vis à vis de sources photographiques secondaires. On peut citer *Les treize hommes les plus recherchés* d'Andy Warhol, spécialement de la manière dont les toiles furent installées à la Foire mondiale de New York en 1964, et *Quarante-huit Portraits* de Gerhard Richter datant de 1971-72.

Douze amis frappe par son caractère à la fois ouvert et fermé et la distance que l'artiste entretient à l'égard d'une dépendance de la véracité photographique. Bien qu'il ait réalisé les portraits individuels *Têtes en relief 1-6* à partir d'individus réels, cette manière de travailler était tout à fait inhabituelle pour lui : Balkenhol n'utilise pas d'appareil photo pour préparer ses sculptures et ses dessins de personnages et de visages ne sont que des aide-mémoire très généralisés. Dans leur attitude et leur réalisation, chacun des «douze amis» manifeste ce qui peut être appelé une économie de représentation, car chacun est sans doute plus proche de la fiction que du fait réel. Dans un récent texte de catalogue, Jean-François Chevrier et James Lingwood écrivaient que «la description peut être en elle-même une forme de fiction» [24], une notion qui s'applique sûrement à la sculpture de Balkenhol, même lorsqu'elle se rapproche le plus possible de ce qui est spécifique au portrait comme dans *Douze amis*. Ici, l'art de Balkenhol a plus de points communs avec celui de Warhol et de Richter qu'avec la photographie. En effet, dans la traduction de l'original en reproduction photographique jusqu'à l'œuvre finale, toute impulsion archéologique est éliminée en faveur des possibilités infinies de la fiction.

En 1990, Balkenhol présenta une exposition de dessins et de sculptures à la Deweer Art Gallery à Otegem, en Belgique. Ce fut la première fois qu'il privilégia publiquement

24] Chevrier, Jean-François, et James Lingwood, *«Specific Pictures»* (Images spécifiques) in *Another Objectivity* (Une autre objectivité) (Londres : Institut des Arts Contemporains, 1988), n.p.

typologischen Dokumentation ganz spezifischer Sujets einsetzen. Hier können Werke vieler Künstler dieses Jahrhunderts genannt werden : August Sanders Gesicht der Zeit, *das der Künstler 1924 begann, Bernhard und Hilla Bechers Bilder von Industriegebäuden aus dem Jahr 1957 wie auch die jüngeren Werke von Wall und Ruff. Die andere Richtung ist formell ähnlich - in ihrem Vertrauen auf sekundäre fotografische Quellen jedoch weniger analytisch. Andy Warhols Arbeit* Thirteen Most Wanted Men *ist in diesem Zusammenhang zu erwähnen - insbesondere weil die Leinwand anläßlich der New Yorker Weltausstellung 1964 installiert wurde - sowie Gerhard Richters* Achtundvierzig Portraits *(1971/72).*

Balkenhols Zwölf Freunde *beeindrucken durch ihre keinerlei Einschränkung aufweisende Offenheit und die Distanz, die der Künstler zur Abhängigkeit von fotografischer Wahrhaftigkeit wahrt. Auch wenn er die einzelnen Portraits der* Reliefköpfe 1 - 6 *vom lebenden Modell anfertigte, war diese Arbeitsweise für ihn doch äußerst ungewöhnlich : Balkenhol verwendet bei der Vorbereitung seiner Skulpturen keine Kamera, und seine Zeichnungen von Figuren und Gesichtern liefern nur in höchstem Maße verallgemeinerte Gedächtnisstützen. In Haltung und Ausführung haftet jedem der* Zwölf Freunde *das an, was man als Wirtschaftlichkeit der Darstellung bezeichnen könnte, denn jeder ist der Fiktion möglicherweise näher als dem Faktum. In einem vor kurzem erschienenen Katalog-Essay schrieben Jean-François Chevrier und James Lingwood, daß die «Beschreibung als solche durchaus eine Form der Fiktion sein kann»* [24] *- ein Gedanke, der sicherlich auf Balkenhols bildhauerisches Werk zutrifft, auch wenn es der spezifischen Portraitkunst sehr nahe kommt - wie mit den* Zwölf Freunden. *Balkenhols Kunstform hat hier mehr mit Warhols und Richters Kunst gemeinsam als mit der Fotografie. Und in der Tat : Bei der Umsetzung des fotografischen Originals in die Reproduktion und in das endgültige Werk wird jeder archäologische Impuls zugunsten der unendlichen Möglichkeiten der Fiktion fallengelassen.*

24] Jean-François Chevrier, und James Lingwood, «Specific Pictures», in Another Objectivity (London : Institute of Contemporary Art, 1988), n.p.

1990 stellte Balkenhol eine Ausstellung von Zeichnungen und Skulpturen für die Deweer Art Gallery in Otegem, Belgien, zusammen, auf der er seine zu Papier gebrachten Arbeiten erstmals öffentlich zeigte. In diesen knappen, rasch hingeworfenen Studien fällt Balkenhols spitzfindiger Humor sofort auf. Die Titelseite des

Fortsetzung Seite 64

ses travaux sur papier. Dans ces petites études rapides, le bizarre sens de l'humour de Balkenhol est immédiatement apparent. La couverture du catalogue ressemble nettement aux cahiers de composition des étudiants allemands et rappelle également la peinture intitulée *Composition I* de Roy Lichtenstein. Balkenhol a continué à combiner l'approche spontanée et désinvolte du dessin que l'on voit dans les œuvres de Sigmar Polke et de Robert Gober à l'humour des bandes dessinées du quotidien *New Yorker* ; ses croquis sont infailliblement spirituels et exécutés à la manière concise des bandes dessinées. Nombre d'entre eux (tel un sinueux nu classique, allongé confortablement sur son établi de charpentier) se réfèrent malicieusement à sa vie à l'atelier, tandis que d'autres reproduisent de manière fantaisiste des scènes tirées de l'histoire.

Bien que Balkenhol ait auparavant sculpté, à l'occasion, un cheval ou un lion, c'est autour de 1990 qu'il prit régulièrement les animaux comme sujets de ses dessins et sculptures. Il choisit les animaux en fonction de leur particularité anatomique et les associa souvent à de petites figures humaines. Les deux premiers exemples en sont *Petit homme sur une Girafe* et *Petit homme sur un escargot.*

La sculpture animalière la plus convaincante chez Balkenhol, et sans doute son œuvre la plus connue à ce jour, est *57 Pingouins*. Achevés en tout juste dix jours en 1991, les cinquante-sept pingouins et leurs socles respectifs ont été sculptés dans des blocs de bois individuels et peints avec l'énergie et l'enthousiasme qui caractérisent Balkenhol. Pour ce faire, Balkenhol étudia les pingouins dans les livres et se rendit dans les zoos. Certains des dessins sont réalisés d'après nature, certains sont purement imaginaires. Sur l'un des dessins, l'artiste représente un pingouin observant curieusement un homme en queue de pie et cravate noires. Chacune des sculptures finies est étrangement vivante et naturelle : certains des pingouins remuent frénétiquement, d'autres se lissent paresseusement les plumes et d'autres encore somnolent à la chaleur d'un soleil invisible. Lorsqu'il fut présenté pour la première fois à la Galerie Johnen & Schöttle à Cologne en 1991, l'arrangement formel de la sculpture rappela énormément les sculptures que Warhol exécuta dans les années 60,

Suite page 65

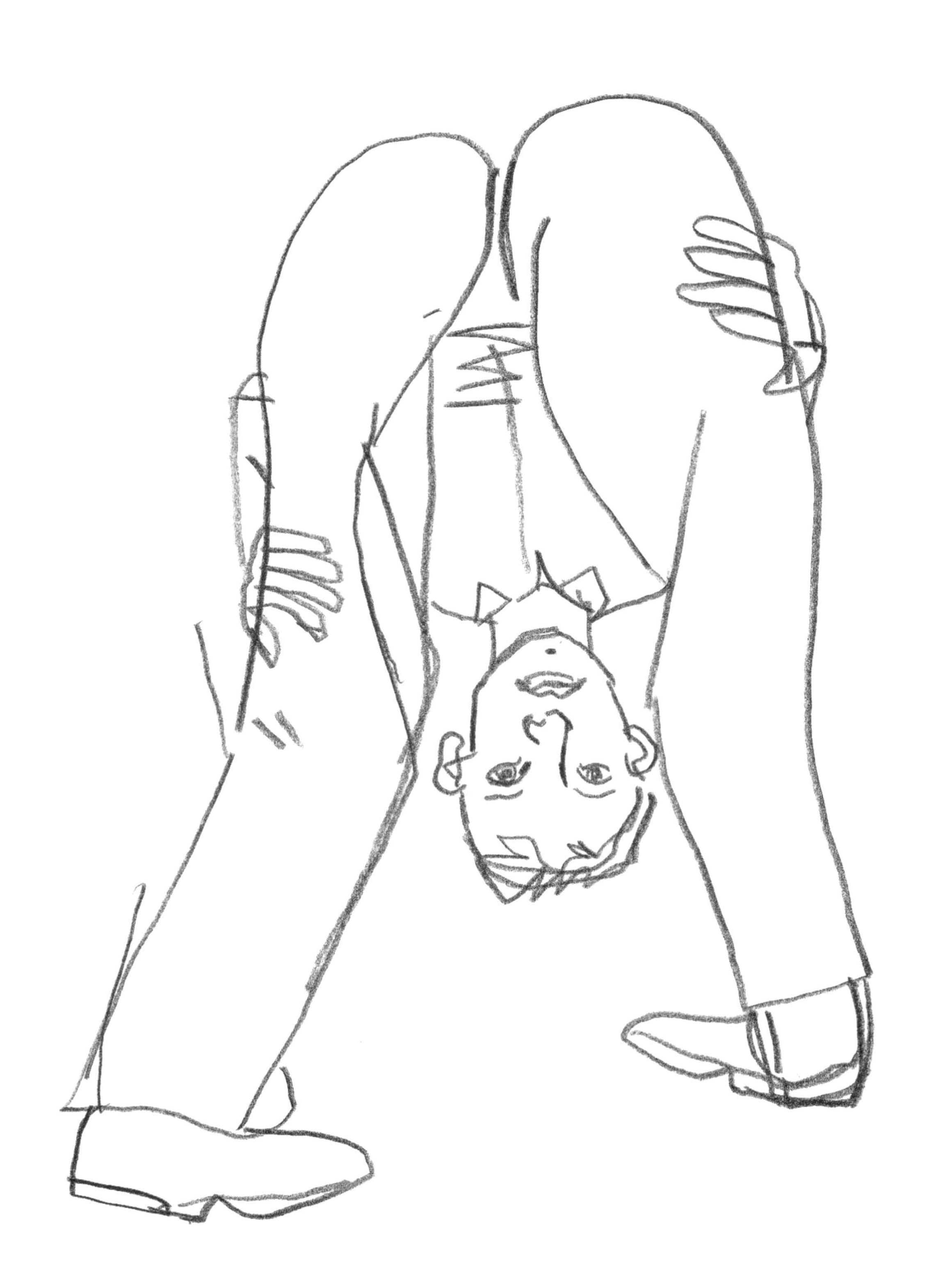

Katalogs ähnelt deutlich dem Einband eines Aufsatzheftes deutscher Schüler und erinnert auch an Roy Liechtensteins Gemälde Composition I. *Balkenhol vereinigt die ungekünstelte, spontane Zeichenmethode, die in den Arbeiten von Sigmar Polke und Robert Gober festzustellen ist, mit dem Humor der Cartoons des* New Yorker. *Seine Skizzen sind von der Idee her unbedingt witzig und amüsant; ihre Ausführung erfolgt in knapper, cartoonähnlicher Weise. Viele (z.B. ein klassischer, üppiger Akt, der bequem auf einer gezimmerten Bank ruht) stellen eine heitere Anspielung auf sein Leben im Atelier dar, während andere wiederum launenhaft auf der Historie basierende Szenen einfangen.*

Obwohl Balkenhol früher gelegentlich auch einmal ein Pferd oder einen Löwen geschaffen hatte, wandte er sich um 1990 in seinen Zeichnungen und Skulpturen regelmäßig dem Tier-Sujet zu. Dabei wählte er die Tiere aufgrund ihrer anatomischen Besonderheiten aus und kombinierte sie in der Darstellung oft mit kleinen Menschenfiguren. Bei den beiden ersten Arbeiten dieser Art handelt es sich um die Werke Kleiner Mann auf Giraffe *und* Kleiner Mann auf Schnecke.

Die unwiderstehlichsten Tierskulpturen Balkenhols - und sein bis heute zweifellos bekanntestes Werk dieses Sujets - sind die 57 Pinguine. *Bei der 1991 in nur zehn Tagen fertiggestellten Arbeit wurden 57 Pinguine und ihr jeweiliger Untergrund aus einzelnen Holzblöcken geschnitzt und in Balkenhols charakteristischem, dynamischen Stil und Enthusiasmus bemalt. Als Vorbereitung auf dieses Werk studierte Balkenhol Pinguine in Büchern und Zoos. Einige der daraus resultierenden Zeichnungen gehen auf lebende Modelle zurück, andere wiederum entstanden aus seiner Phantasie heraus. In einer stellt der Künstler einen Pinguin dar, der neugierig einen steif vor ihm stehenden Mann mit schwarzer Krawatte und Frack mustert. Jede einzelne dieser Skulpturen wirkt unheimlich lebendig und natürlich : Einige Pinguine schütteln sich frenetisch oder putzen sich gemütlich, während andere einfach unter einer unsichtbaren warmen Sonne vor sich hindösen. Als das Werk in der Galerie Johnen & Schöttle in Köln 1991 erstmals gezeigt wurde, erinnerte die formlose Anordnung der einzelnen Bestandteile der Skulptur stark an Warhols Skulpturen der sechziger Jahre, die den Themen Suppenpackungen, Seifenschalen und Getreide gewidmet waren.*

représentant des boîtes de soupe, des pains de savon ou des céréales. Comme Warhol et Oldenburg, Balkenhol nous désarme par l'innocence espiègle de son sujet, spécialement si l'on tient compte du sérieux de son travail.

Le charme absolu des *57 Pingouins* s'étend même à la manière dont la pièce a été acquise par le Museum für Moderne Kunst de Francfort.[25] Manquant des fonds nécessaires à l'acquisition de la sculpture, Jean-Christophe Ammann, le directeur du musée, et Horst Schmitter, homme d'affaires de Francfort et avide collectionneur des œuvres de Balkenhol, passèrent une petite annonce dans le *Frankfurter Allgemeine Zeitung* et attirèrent ainsi rapidement des sponsors individuels pour chacun des cinquante-sept pingouins. Le projet fut une acquisition brillante et une magnifique réussite dans l'art des relations publiques pour le nouveau musée. Comme le rappelle Ammann : «ce fut une période passionnante ; de nombreuses personnes, même des étudiants, étaient prêtes à faire une petite contribution pour un pingouin. Lorsque les pingouins furent exposés, la liste des donateurs fut affichée à côté.» [26]

A cette époque-là, la vie et l'œuvre de Balkenhol étaient centrées à Francfort, en partie parce qu'il entretenait des relations étroites avec Ammann et Kasper König. Ammann avait organisé une exposition des œuvres de Balkenhol à la Kunsthalle de Bâle en 1988, et l'exposition fut ensuite présentée à Francfort au Portikus, la galerie du Städelschule, dont König, le directeur, avait inclus Balkenhol dans «Skulptur Projekte Münster» en 1987. En 1990-91, Balkenhol enseignait à la Hochschule für Bildende Kunst et travaillait dans l'atelier qu'il avait récemment installé à Edelbach, un village au sud-est de Francfort, près de Aschaffenburg.

En mai 1991, Balkenhol installa l'une de ses plus intéressantes sculptures extérieures dans le jardin fermé situé directement derrière la Städtische Galerie à Francfort.[27] La façade arrière du musée est articulée par une série de niches sculpturales qui sont curieusement restées vides tout au long de l'histoire du musée. Dans le cadre de celui-ci, en grande partie inutilisé et peu articulé, Balkenhol trouva un emplacement architectural idéalement adapté à son travail. Le projet consistait en trois pièces. *Homme avec pantalon noir et chemise blanche* et *Femme avec robe verte*, tous deux de 1991,

25] Cf. Jean-Christophe Ammann, «*Stephan Balkenhol : 57 Penguins*» (Stephan Balkenhol : 57 Pingouins), *Parkett 36* (1993), pp. 66-69.

26] Ibid., p. 68.

27] Gallwitz, Klaus, et Ursula Grzechka-Mohr, *Stephan Balkenhol im Städelgarten* (Francfort : Städtische Galerie, 1991).

Wie Warhol und Oldenburg entwaffnet uns auch Balkenhol mit der witzigen Unschuld seines Themas - und besonders aufgrund der ernsthaften Absicht, die aus seinem Werk spricht.

Der unheimliche Charme, der von Balkenhols Werk 57 Pinguine *ausgeht, setzte sich in der Art und Weise fort, in der die Skulptur vom Museum für Moderne Kunst in Frankfurt erworben wurde.* [25] *Da ihm die für den Kauf der Skulptur erforderlichen Mittel fehlten, gaben der Museumsdirektor Jean-Christophe Ammann und der Frankfurter Geschäftsmann und eifrige Sammler der Werke Balkenhols, Horst Schmitter, eine Anzeige in der* Frankfurter Allgemeinen Zeitung *auf. Schnell fand man auf diese Weise Einzelsponsoren für jeden der 57 Pinguine. Ein wirklich glänzender Kauf und zudem ein PR-Gag für das neue Museum. Ammann erinnert sich : «Es war eine sehr aufregende Zeit ... viele Leute, darunter sogar Studenten hatten sich bereit erklärt, einen kleinen Betrag für einen Pinguin zu spenden. Wir zeigen die Pinguine immer zusammen mit der Spenderliste.»* [26]

Damals lebte und arbeitete Balkenhol viel in Frankfurt - teilweise auch deshalb, weil er in engem Kontakt zu Ammann und Kasper König stand. Ammann hatte 1988 die Ausstellung von Balkenhols Arbeiten für die Kunsthalle Basel organisiert, und diese Ausstellung wurde danach im Frankfurter Portikus - der Galerie der Städelschule - gezeigt. Ihr Direktor - König - hatte Balkenhol 1987 in die Veranstaltung «Skulpturprojekte in Münster» einbezogen. 1990/91 dozierte Balkenhol an der Hochschule für Bildende Kunst und arbeitete in seinem Atelier, das er sich erst kürzlich in Edelbach, einem Ort südöstlich von Frankfurt (bei Aschaffenburg) eingerichtet hatte.

Im Mai 1991 stellte Balkenhol einige seiner interessantesten Outdoor-Skulpturen im abgeschlossenen Garten direkt hinter der Städtischen Galerie in Frankfurt auf. [27] *Die rückwärtige Fassade des Museums ist durch eine Reihe von für Skulpturen bestimmte Nischen untergliedert, die seit dem Bestehen des Museums seltsamerweise leer geblieben sind. Dieser weitgehend ungenutzte und untergliederte Hintergrund bot Balkenhol somit einen für seine Arbeit hervorragend geeigneten, bereits vorhandenen architektonischen Standort. Das Projekt umfaßte drei Werke : Der* Mann mit schwarzer Hose und weißem Hemd *und die* Frau mit grünem Kleid *(beide 1991) wurden in separaten,*

25] Vgl. Jean-Christophe Ammann, «Stephan Balkenhol : 57 Pinguine», *Parkett* 36 (1993) : S. 66-69

26] Ebenda S. 68

27] Klaus Gallwitz und Ursula Grzechca-Mohr, *Stephan Balkenhol im Städelgarten* (Frankfurt : Städtische Galerie, 1991)

furent installés dans des cabanes en pierre séparées alignées sur un axe dans le jardin. Une troisième figure -*Homme avec chemise rose et pantalon gris* - également de 1991, fut montée dans une niche vide sur la façade arrière du musée.[28] Ce mode de groupement marqua un changement dans l'œuvre de Balkenhol car, s'il avait souvent composé des ensembles de figures, c'était sans doute la première fois qu'elles occupaient un espace si large et impliquaient si clairement une narration. Les deux figures au sol sont littéralement emprisonnées dans leurs cellules de pierre et l'une d'elles n'est visible qu'à travers d'étroites fenêtres en forme de fentes. Plus haut sur la façade, la troisième figure domine la scène avec un détachement caractéristique, son emplacement rappelant le travail des sculpteurs de la Renaissance à Florence et sa relation avec les figures emprisonnées au dessous évoquant immanquablement un garde dans une tour de guet.

La réunion de ses œuvres importantes, régulièrement exposées à Francfort à cette époque-là - le Museum für Moderne Kunst avait incorporé les *57 Pingouins* à sa présentation officielle en 1991 - attirèrent l'attention sur le jeune artiste. Au début de l'année suivante, il installa *Figure debout sur une balise* sur la Tamise et *Tête d'un homme* sur le pont de Blackfriars pour «Doubletake» [29] déjà mentionné. Cette installation très remarquée provoqua en 1993-94 des commandes similaires en vue de placer des figures dans ou autour des plans d'eau d'Amiens, Dordrecht, Hambourg et Lisbonne.

Dans ses œuvres récentes, aussi bien intérieures qu'extérieures, Balkenhol a entamé un dialogue fascinant avec la tradition historique. Si, dans l'ensemble de Francfort, il se référait à la sculpture architecturale de la Renaissance italienne, Balkenhol en est venu également à réévaluer l'iconographie de son travail. Tandis qu'il préparait son installation d'Amiens, par exemple, il y étudia la façade de la cathédrale et découvrit au-dessus du portail ouest des sculptures du XIIIe siècle représentant des saints martyrs. Parmi elles se trouvaient deux figures, Aceolus et Acius, qui tenaient leurs têtes coupées dans leurs mains.[30] L'année suivante, Balkenhol reprit ce thème de retour dans son atelier et prépara *Homme avec sa tête sous le bras*. De manière similaire, en préparant trois pièces pour la ville balnéaire hollandaise de Dordrecht en 1993,

28] Une quatrième figure supplémentaire fut ultérieurement ajoutée dans une cabane placée sur la façade Est du bâtiment.

29] Cf. *Réflexion : mémoire collective et art actuel*, p. 256.

30] Remerciements à Jeffrey C. Anderson de l'Université George Washington, Washington D.C. et à Stéphanie Jacoby pour leurs suggestions concernant ce point.

auf einer Achse im Garten ausgerichteten Steinhütten untergebracht; eine dritte Figur - Mann mit rotem Hemd und grauer Hose *(ebenfalls 1991) - fand ihren Platz in einer leeren Nische oben an der rückwärtigen Fassade des Museums.*[28] *Die Gruppierung kennzeichnete eine Veränderung in Balkenhols Arbeit, denn obwohl er schon häufig Figuren zusammen angeordnet hatte, handelte es sich hier möglicherweise um das erste Mal, daß sie einen so großen Raum beherrschten und so deutlich eine narrative Darstellung implizierten. Die zwei Figuren auf dem Boden sind im wahrsten Sinne des Wortes in ihren Steinzellen «eingesperrt» - eine davon ist nur durch schmale, schlitzartige Fenster zu sehen. Die dritte, hoch an der Fassade angebrachte Figur überblickt die Szene mit charakteristischer Losgelöstheit. Ihre Positionierung erinnert an die Arbeiten der Bildhauer der Renaissance in Florenz, und im Hinblick auf die «eingesperrten» Figuren am Boden vermittelt sie unvermeidlich den Eindruck einer Wache im Wachturm.*

Aufgrund der Zusammenstellung herausragender Arbeiten, die damals in Frankfurt regelmäßig zu sehen waren - das Museum für Moderne Kunst zeigte die 57 Pinguine *in seiner Eröffnungsausstellung 1991 - wurde dem jungen Künstler ungeheure Aufmerksamkeit zuteil. Anfang des darauffolgenden Jahres placierte er die* Stehende Figur auf Boje *in der Themse und den* Kopf eines Mannes *auf der Blackfriars Bridge für die schon erwähnte Gruppenausstellung «Doubletake.»*[29] *Diese vielbeachtete Aufstellung seiner Werke führte in den Jahren 1993/94 zu ähnlichen Aufträgen, d.h. Figuren in oder um Gewässer herum aufzustellen - so geschehen in Amiens, Dordrecht, Hamburg und Lissabon.*

In seinen jüngsten Arbeiten - sowohl im Atelier als auch im Freien - führt Balkenhol einen faszinierenden Dialog mit der historischen Tradition. Obschon er mit dem Frankfurter Ensemble einen Ausflug in die architektonische Bildhauerei der italienischen Renaissance unternahm, hat Balkenhol die Ikonographie seiner Arbeit ebenfalls neu bewertet. Während der Vorbereitung seiner Arbeiten für Amiens studierte er beispielsweise die Fassade der dortigen Kathedrale. Über dem Westportal entdeckte er aus dem dreizehnten Jahrhundert stammende Skulpturen Heiliger, die als Märtyrer gestorben waren. Unter ihnen befinden sich zwei Figuren - Aceolus und Acius - die

28] Einte weitere vierte Figur wurde später auf einer Niche an der östlichen Fassade hinzugefüft.

29] Vgl. : *Doubletake : Collective Memory and Current Art*, S. 256

Balkenhol proposa un énorme monument dédié aux marins, rappelant immédiatement le colosse de Rhodes et des propositions plus récentes d'Oldenburg.

L'autre direction que Balkenhol commença à explorer en détail est le récit. Alors qu'autrefois il rejetait catégoriquement cette idée, l'exposition de Francfort, avec sa relation implicite entre le garde en hauteur et les figures emprisonnées en dessous, amena de manière croissante Balkenhol à considérer les relations existant entre ses figures. Comme il le déclara dans une interview en 1994 :

J'essayais d'éliminer toute forme de récit de mes travaux. Aujourd'hui encore, je refuse la narration lorsque j'omets volontairement le geste et l'expression, mais parfois, et peut être de plus en plus, je m'intéresse aux problèmes liés à celle-ci et à la question du sujet.[31]

Fig. 4
Homme
au mouton,
Mann mit Schaf,
(1943-44)
Pablo Picasso

Tandis que Balkenhol ne s'est que récemment intéressé aux formes traditionnelles du contenu, les deux pièces mentionnées ci-dessus - *Petit homme sur une Girafe* et *Petit homme sur un escargot* - impliquent la relation invraisemblable entre un homme de taille réduite vêtu d'une chemise blanche et d'un pantalon noir et un animal. En 1994, Balkenhol reprit ce sujet, accouplant alors ses figures masculines à des salamandres, des dauphins et des zèbres. Pour une exposition organisée à la Neue Nationalgalerie de Berlin, également en 1994, Balkenhol prépara une série de dessins au «tableau noir» (de l'huile appliquée sur des panneaux en bois peints en noir) dans lesquels il représentait des individus masculins en interaction avec différents animaux. De manière caractéristique, Balkenhol fait appel à l'histoire de l'art, désacralisant dans ce cas la tradition héroïque du classique berger portant un petit et, plus récemment et peut-être de manière plus pertinente, *l'Homme au Mouton* de Picasso (fig. 4), mesurant presque 2 mètres de haut, dont une reproduction est fixée au mur de l'atelier de l'artiste. Alors que, de tous temps, les sculpteurs ont représenté l'homme dominant l'animal, Balkenhol a renversé les rôles, représentant l'animal à une échelle égale ou supérieure et plaçant souvent l'homme dans des situations faussement dangereuses. La série en cours de Balkenhol, qu'il décrit comme les «aventures du petit homme en chemise blanche et pantalon noir»,[32] peut être vue comme un conte populaire, sa

31] Extrait de *Stephan Balkenhol* (Rochechouart : Musée départemental de Rochechouart, 1994), pp. 13, 15.

32] Conversation avec l'auteur, 25 juin 1994.

ihre abgetrennten Köpfe in den Händen halten.[30] *Im darauffolgenden Jahr übernahm Balkenhol das Thema in seinem Atelier und schuf den* Mann mit dem Kopf unter dem Arm. *In gleicher Weise schlug Balkenhol anläßlich der Vorbereitung dreier Werke für die holländische Hafenstadt Dordrecht 1993 in der ihm eigenen witzigen Art das riesige Denkmal eines Seemannes vor, das sofort an den Koloß von Rhodos und die schon weiter zurückliegenden Vorschläge von Oldenburg erinnerte.*

Die andere Richtung, die Balkenhol genauer zu untersuchen begann, ist narrativ. Obwohl er diesen Gedanken früher einmal weit von sich gewiesen hatte, veranlaßte der Frankfurter Auftrag - mit der impliziten Beziehung zwischen dem Wächter hoch oben und den im Gefängnis befindlichen Figuren unten - Balkenhol verstärkt, sich mit der zwischen seinen Figuren bestehenden Beziehung zu beschäftigen. 1994 sagte er in einem Interview :

Ich habe früher stets versucht, jeden narrativen Aspekt in meinen Arbeiten zu vermeiden. Auch heute lehne ich die narrative Darstellungsform immer noch ab, wenn ich voluntaristisch Gestik und Ausdruck weglasse, doch manchmal - und vielleicht immer häufiger - interessieren mich die Probleme, die damit in Zusammenhang stehen und auch die Frage des Sujets.[31]

Während sich Balkenhol erst seit kurzem auf traditionelle Inhaltsformen konzentriert, besteht bei zwei schon erwähnten Werken - Kleiner Mann auf Giraffe *und* Kleiner Mann auf Schnecke *- bereits eine Beziehung zwischen einem kleinen Mann, der ein weißes Hemd und eine schwarze Hose trägt - und einem in diesem Kontext ungewöhnlichen, ja unwahrscheinlichen Tier. 1994 kehrte Balkenhol zu diesem Sujet zurück; er stellt seine männlichen Figuren zusammen mit Salamandern, Delphinen und Zebras dar. Für eine Ausstellung in der Neuen Nationalgalerie in Berlin - ebenfalls 1994 - schuf Balkenhol eine Reihe von «Tafel»-Zeichnungen - Ölstift auf schwarzgestrichenen Holztafeln - auf denen er einzelne Männer in Wechselwirkung mit verschiedenen Tieren skizziert. Charakteristischerweise greift Balkenhol auf die Kunstgeschichte zurück - in diesem Fall demonumentalisiert er die heldenhafte Tradition des klassischen Kalbträgers, und in jüngerer Zeit - was vielleicht noch relevanter ist - Picassos knapp zwei Meter großen* Mann mit Schaf (fig. 4), *dessen Reproduktion an der Atelierwand des Künstlers hängt. Während Bildhauer zu allen Zeiten Menschen, die Tiere*

30] Ich bedanke mich bei Jeffrey C. Anderson von der George Washington University, Washington, D.C., und bei Stéphanie Jacoby für ihre Anregungen in diesem Punkt.

31] Vgl. in *Stephan Balkenhol* (Rochechouart : Musée départemental de Rochechouart, 1994), S. 13, 15.

narration traitée comme le théâtre d'individus humbles qui se livrent à des comportements joyeux. Ici, Balkenhol s'écarte du sérieux un peu gauche transparaissant si souvent dans l'art contemporain. Il reprend l'un des sujets les plus populaires du vingtième siècle et l'imprègne d'un humour et d'une innocence pleins de fraîcheur.

Ceci dit, il convient de noter que Balkenhol a également travaillé sur des sujets d'une importance plus évidente quand l'occasion s'en est présentée. Sélectionné pour représenter l'Allemagne à «Africus», la première Biennale de Johannesburg qui s'est déroulée au printemps 1995, Balkenhol réalisa *Global Couple*, des figures d'un homme noir et d'une femme blanche, chacune surmontant une demi-sphère au dessus de l'entrée du pavillon d'exposition. Remarquable réinvention de ses personnages de gardien du milieu des années 80, la sculpture publique la plus récente de Balkenhol s'adresse à l'héritage laissé par l'apartheid en Afrique du Sud précisément au moment où ce pays à l'histoire tragique sort de l'exil qu'il s'était lui-même imposé pour rejoindre la communauté internationale. Du banal au politique, et du petit au monumental, Balkenhol, comme Picasso avant lui, démontre le potentiel continu et apparemment infini de la sculpture figurative à la fin du vingtième siècle.

Pour évaluer le travail de Balkenhol aujourd'hui et les réactions qu'il a suscitées auprès des artistes et du public, il vaudrait la peine de revenir à une déclaration faite par l'artiste lors d'une interview en 1988 :

Le fait que je retravaille de manière figurative est également, en partie, une réaction vis à vis de l'art dépassionné, rationnel et très peu sensuel des années 70... C'était comme si l'art n'illustrait rien, n'avait plus aucune relation avec ce qui se passait à l'extérieur, mais ne réfléchissait plus que ses principes et méthodes propres et n'illustrait que lui-même, en fait.[33]

Il faut se rappeler que lorsque Balkenhol était étudiant à Hambourg vers 1980, les mouvements Minimaliste et Conceptualiste étaient solidement établis en Europe et s'étaient épanouis pendant près de deux décennies. Pourtant, pour Balkenhol, l'exorcisme obstiné des images et du contenu subjectif avait amené la chute de ces

33] Extrait de *Binationale*, p. 68.

beherrschen, dargestellt haben, geht Balkenhol genau umgekehrt vor. In seinen Darstellungen ist das Tier gleichgroß oder größer, und er positioniert den Menschen häufig in lächerlicher, gefahrvoller Lage. Balkenhols in Arbeit befindliche Serie, die er als «Abenteuer des kleinen Mannes mit weißem Hemd und schwarzer Hose»[32] *erläutert, ist bestenfalls als Volksmärchen zu verstehen, dessen narrativer Teil als für bescheidene, fröhliche Individuen bestimmt zu behandeln ist. Hier weicht Balkenhol von der selbstbewußten Ernsthaftigkeit, die ein so großer Teil der zeitgenössischen Kunst impliziert, ab. Er spricht eines der mit den meisten Klischees belegten Sujets des zwanzigsten Jahrhunderts an und durchdringt es mit erfrischender Reinheit und Humor.*

Nach diesen Ausführungen muß festgestellt werden, daß Balkenhol bei sich bietender Gelegenheit auch an offensichtlicheren Folgesujets gearbeitet hat. Auserwählt um Deutschland bei der «Africus» - der ersten Biennale in Johannesburg - zu vertreten (Frühjahr 1995), schuf Balkenhol das Weltumspannende Paar *- die Figur eines schwarzen Mannes und einer weißen Frau, die jeweils einen halben Globus - hoch über dem Eingang zum Ausstellungspavillon - krönen. Als bemerkenswerte «Neuerfindung» seiner Wachfiguren aus den Mittachtzigern spricht Balkenhols jüngste für die Öffentlichkeit bestimmte Skulptur Südafrikas Erbe aus der Zeit der Apartheid zu genau dem Zeitpunkt an, zu dem das von Tragik gekennzeichnete Land nach einem selbstauferlegten Exil wieder in die internationale Völkergemeinschaft eintritt. Da seine Palette vom Profanen bis hin zum Politischen und vom Diminutiven bis hin zum Monumentalen reicht, demonstriert Balkenhol - wie Picasso schon vor ihm - das kontinuierliche und anscheinend grenzenlose Potential der figürlichen Bildhauerkunst im späten zwanzigsten Jahrhundert.*

Bei der Beurteilung der bisherigen Arbeiten Balkenhols bis zur Gegenwart und angesichts der Resonanz, auf die er bei Künstlern und in der Öffentlichkeit stößt lohnt es sich durchaus, auf eine Aussage des Bildhauers anläßlich eines 1988 mit ihm geführten Interviews zurückzukommen :

Weshalb ich erneut figürliche Bildhauerei betreibe ist auch teilweise eine Reaktion auf die ziemlich leidenschaftslose, rationale und sehr wenig sinnenfreudige Kunst der siebziger Jahre ... die sich darstellte, als ob sie überhaupt nichts mehr zu illustrieren

32] Gespräch mit dem Autor, 25. Juni 1994.

mouvements dans un malaise académique, doublé d'une théorisation à vide et d'une simple élégance formelle. Au contraire, il recherchait un art qui serait accessible au grand public, et la figure offrait manifestement une telle possibilité. Toutefois, ce faisant, Balkenhol fut taillé en pièces par la réaction critique des artistes de sa propre génération et du monde de l'art en général. En effet, il faisait des sculptures qui avait peu de liens avec les travaux figuratifs récents - les plâtres idéaux et vides de tout pathos de George Segal d'une part, et les emblématiques sculptures en bois peint de Georg Baselitz, d'autre part.[34] Les artistes européens plus jeunes avaient pour une large part répudié la figure en tant que sujet (à l'exception parfois de sa représentation vidéo ou photo) tandis qu'en Amérique du Nord, les références à la «figure» dans l'art étaient dominées par des questions liées «au corps», symptôme de la récente tendance à l'expression de la violence politique et sociale[35]. En un mot, Balkenhol a évité l'attitude massivement ironique qui a récemment prévalu dans les représentations de la figure en Europe et les images du corps politisées chez les artistes d'Amérique depuis les années 80. Le rejet par Balkenhol du néo-conceptualisme l'a confiné à une place étrange bien en dehors du courant principal du monde de l'art. Alors que la faveur du public pour les sculptures de Balkenhol est manifeste depuis le début de sa carrière, les aspects apparemment conservateurs de sa pratique - son métier, sa confiance en la figure et le fait qu'il évite les questions post-modernes concernant l'originalité et la représentation - ont paradoxalement fait de lui un iconoclaste dans certains cercles de l'art contemporain.

Pour toutes ces raisons, le travail de Balkenhol a obtenu plus que sa part de commentaires de la part d'autres artistes. Le plus virulent critique d'entre eux est sans doute Schütte, le jeune sculpteur allemand à multiples facettes qui, comme Balkenhol, exposa pour «Skulptur Projekte Münster» en 1987. Tandis que Schütte réalise des œuvres figuratives depuis le début des années 80, sa trajectoire est de manière caractéristique post-moderne car la figure n'est que l'un des nombreux sujets qu'il emploie, et il réalise ses sculptures dans des matières allant de l'argile au carton. Au cours de l'été 1992, Schütte participa à «Documenta 9» où il exposa *Les étrangers*, un groupe de figures ressemblant à des pièces d'échecs placé au dessus d'un portique à colonnes sur la

34] Cf. Neal Benezra, «*Stephan Balkenhol : The Figures as Witness*» (Les figures comme témoin), *Parkett* 36 (1993) : p. 38.

35] Deux des nombreuses expositions nord-américaines dédiées au corps se sont déroulées à Boston, Musée des Beaux Arts, «Figuring the Body» (Figurer le corps), 1989, et à Chicago, Société Renaissance de l'Université de Chicago, «The Body» (Le corps) 1991.

hätte oder wollte, als ob sie in keinem Verhältnis mehr zu dem stünde, was um sie herum geschah und als ob sie sich vielmehr in ihren eigenen Prinzipien und Methoden ergehen und schließlich nur noch sich selbst illustrieren wollte.[33]

Man muß sich daran erinnern : Als Balkenhol um 1980 in Hamburg studierte, hatte sich die Bewegung des Minimalismus und des Konzeptualismus in Europa bereits etabliert und eine Blütezeit von nahezu zwei Jahrzehnten hinter sich. Aus der Sicht Balkenhols hatten der bewußte Exorzismus in der bildlichen Darstellung und der subjektive Inhalt dazu geführt, daß diese Bewegungen in eine akademische Malaise verfielen - mit leerem Theoretisieren und lediglich elegantem Design. Er hingegen suchte nach einer Kunstform, die einem breiten Publikum zugänglich war - und offensichtlich bot die Skulptur diese Möglichkeiten. Bei seiner Arbeit wurde Balkenhol dann von einer Flut kritischer Reaktionen von Künstlern seiner Generation sowie der Kunstszene insgesamt eingeholt. Und in der Tat : Er schuf Skulpturen, die nur wenig mit dem figürlichen Werk der jüngsten Vergangenheit zu tun hatten - mit den idealistischen, pathosbestimmten Gipsarbeiten eines Georges Segal und den emblematischen, bemalten Holzskulpturen eines Georg Baselitz.[34] Jüngere europäische Künstler hatten die Figur als Sujet weitgehend abgelehnt (mit der gelegentlichen Ausnahme ihrer Darstellung auf Videotapes und in der Fotografie), während in Nordamerika die Bezugnahme auf die «Figur» in der Kunst von Themen den «Body» betreffend dominiert wurde - ein Hinweis auf den jüngsten Trend, um gesellschaftlichen und politischen Formen der Gewalt Ausdruck zu verleihen.[35] Kurz - Balkenhol hat die überschwengliche ironische Haltung vermieden, die in letzter Zeit bei figürlichen Darstellungen in ganz Europa und in den politisierten Body-Darstellungen nordamerikanischer Künstler seit den achtziger Jahren vorherrscht. Balkenhols Ablehnung des Neo-Konzeptualismus wies ihm einen besonderen Platz weit außerhalb der Hauptströmung der Kunstszene zu. Während die Anziehungskraft, die die bildhauerische Arbeit Balkenhols auf die Öffentlichkeit ausübt, von Beginn seiner Laufbahn an offenkundig war, haben ihn die anscheinend konservativen Aspekte seiner Vorgehensweise - seine Handwerklichkeit, sein Vertrauen in die Figürlichkeit und seine Vermeidung postmoderner Themen, die um Originalität und Darstellung angesiedelt sind - in bestimmten zeitgenössischen Kunstkreisen ironischerweise zum Ikonoklasten werden lassen.

33] Vgl. in *Binationale,* S. 68.

34] Vgl. Neal Benezra, «Stephan Balkenhol : The Figure as Witness», *Parkett* 36 (1993) : S. 38.

35] Zwei von vielen Nordamerikanischen Austellungen die den Körper gewidmet wurden, sind Boston, Museum of Fine Arts, «Figuring the Body», 1989, und Chicago, Renaissance Society of the University of Chicago, «The Body», 1991.

Friedrichsplatz, à Kassel. L'apparente similarité entre l'aspect figuratif de l'œuvre de Schütte et celle de Balkenhol donna lieu à un échange en règle entre les deux artistes en septembre 1992, conversation qui fut publiée dans le catalogue de Rotterdam de Balkenhol la même année.[36] La condamnation par Schütte du travail de Balkenhol est totale : manifestement, Balkenhol représente pour Schütte tout ce que le post-modernisme rejette. Ses critiques visaient aussi bien le manque de contenu intellectuel flagrant que les nombreuses redites apparentes dans l'œuvre de Balkenhol («si vous dites quelque chose trois fois, cela doit suffire. Quant à la diffusion, nous possédons un excellent système d'expédition ainsi que la photographie. Aujourd'hui, on n'est plus obligé de raconter la même blague pendant trente ans.») [37]

Toutefois, ce que Schütte ignore dans ses critiques est le radical changement de climat de notre époque. Par contraste avec des artistes travaillant aux États-Unis, où la plus grande vigueur commerciale du monde de l'art a encouragé une soif de changement constant et où la critique théorique est abhorrée, les artistes européens se sont engagés, souvent de façon rigide, dans la bataille rangée idéologique concernant les critères de l'art d'avant garde. Dans la stagnation politique et culturelle de la fin de la Guerre Froide, aussi bien dans le domaine culturel que politique, les artistes et les critiques européens pouvaient débattre des mérites théoriques d'artistes et de mouvements divers. Cependant, avec les événements de 1989 et la disparition des idéologies politiques cohérentes à l'Ouest, les arguments relatifs à des positions progressistes concernant l'art ont perdu leur valeur et leur pertinence.

C'est précisément ce que pensait Jeff Wall lorsqu'il fit l'éloge de Balkenhol pour avoir trouvé une manière de réinventer la sculpture et de localiser dans la figure le «potentiel pour une forme spontanée ou une reconnaissance du sens.» [38] Sous le thème du symposium de Rotterdam en 1992, «The Body is Present» (Le corps est présent), qui était officiellement consacré à la représentation du corps dans l'art contemporain mais qui se concentra plutôt sur l'œuvre de Balkenhol, le photographe anglais Craigie Horsefield présenta avec éloquence ses arguments pour une nouvelle approche de la figure.

36] Cf. «Conversation entre Stephan Balkenhol et Thomas Schütte in *S.B., à propos d'hommes et de sculptures*, pp. 72-79.

37] Schütte, extrait de Ibid., 75 ; traduction supplément anglais, p. 9.

38] Wall, extrait de *Stephan Balkenhol* (Kunsthalle Basel, 1988), n.p.

Aus all diesen Gründen ist Balkenhols Werk selbst aufschlußreicher als alle Kommentare, die diesbezüglich von anderen Künstlern abgegeben wurden. Der vielleicht lauteste Kritiker ist Thomas Schütte, der vielseitige junge deutsche Bildhauer der - wie Balkenhol - 1987 im Rahmen der «Skulpturprojekte in Münster» ausstellte. Während Schütte seit Anfang der achtziger Jahre figürlich arbeitete, ist sein Werdegang charakteristisch postmodern, denn die Figur ist nur eines seiner vielen Sujets (er führt seine Arbeiten in Materialien von Ton bis Pappe aus). Im Sommer 1992 nahm Schütte an der «Documenta 9» teil, auf der er Die Fremden *ausstellte, bei der es sich um eine Gruppe - Schachfiguren ähnlichen - Skulpturen auf einem Portikus mit Kolonnaden am Friedrichsplatz in Kassel handelt. Die offensichtliche Ähnlichkeit zwischen dem figürlichen Aspekt der Arbeiten Schüttes und Balkenhols eigenen Arbeiten führte im September 1992 zu einem förmlichen Gespräch zwischen den beiden Künstlern, das dann später (noch im selben Jahr) in Balkenhols Rotterdamer Katalog veröffentlicht wurde.*[36] *Dort erhebt Schütte eine allumfassende Anklage : Balkenhol vertritt nach Ansicht Schüttes all das, was die Künstler der Postmoderne ablehnen. Seine Kritik reicht von Balkenhols Mangel an intellektuellem Inhalt bis hin zur den anscheinenden Wiederholungen in Balkenhols Arbeiten. («Wenn man etwas dreimal sagt, muß es damit genug sein; zur Verbreitung verfügen wir über ein ausgezeichnetes Versandsystem und über die Fotografie. In unserer Zeit braucht man einen Witz keine dreißig Jahre lang zu erzählen.»)* [37]

Schüttes Kritik ignoriert allerdings das radikal veränderte Klima unserer Zeit. Im Gegensatz zu den in den Vereinigten Staaten arbeitenden Künstlern - wo die größere kommerzielle Kraft der Kunst das Verlangen nach ständiger Veränderung und damit auch eine allgemeine Abneigung gegen die kritische Theorie fördert - haben sich europäische Künstler häufig starr an die ideologischen Kampfeslinien hinsichtlich der Kriterien der avantgardistischen Kunst gehalten. In der politischen und kulturellen Stase der Endphase des Kalten Krieges - unter dem Schleier der Verschwommenheit der sich auflösenden Ideologien in Kultur und Politik - konnten europäische Künstler und Kommentatoren über die theoretischen Verdienste der verschiedenen Künstler und Bewegungen diskutieren. Mit den Ereignissen des Jahres 1989 und dem Verschwinden kohärenter politischer Ideologien im Westen haben Argumente zu avantgardistischen Positionen in der Kunst ihre Gültigkeit und Relevanz jedoch verloren.

36] Vgl. «Gespräch zwischen Stephan Balkenhol und Thomas Schütte» in *S.B., über Menschen und Skulpturen*, S. 72-79.

37] Schütte, vgl. in ebenda, S. 75.

Nous exprimons en réalité des idées qui concernent aujourd'hui dans une forme qui est, selon la définition par [Balkenhol] de cette convention avant-gardiste, extrêmement démodée. Mais bien sûr, nous pouvons ainsi exprimer les idées les plus complexes et prémonitoires, c'est-à-dire des idées appropriées à notre époque (...). Dans les sculptures que Stephan Balkenhol crée et les photographies que je fais, nous pouvons utiliser toutes sortes de langages qui nous sont ouverts, mais le sens concerne très spécifiquement le présent. Bien sûr, cela rend la chose difficile parce que nous sommes habitués à chercher des signes d'avant-garde. Avec la perte du progrès, nous perdons l'avant-garde. Ce à quoi nous devons faire face est un monde dans lequel nous sommes contraints de revenir à la signification , au sujet, au contenu comme à une chose nouvelle, et c'est plus difficile, plus problématique. [39]

Horsefield pense qu'il faut aller au-delà des identifications simplistes d'une œuvre comme progressiste ou conservatrice fondées sur des questions de représentation et d'idéologie. Le contenu et le rôle de l'art dans un monde subissant un changement soudain et effrayant sont des questions qu'il faut considérer si l'art doit regagner sa signification pour un public plus large. On peut soutenir que les développements les plus convaincants de l'art depuis la fin des années 80 n'ont rien à voir avec la dernière mode conceptuelle ou esthétique. A une époque où les étudiants en art chinois élevaient de sincères monuments à la liberté, où les Russes ou les Européens de l'Est démolissaient sans égards, les innombrables monuments à la gloire de Marx ou de Lénine et où les vétérans américains souhaitaient que le très géométrique Mémorial aux Vétérans du Vietnam de Maya Lin soit complété par deux monuments figuratifs dédiés aux participants à cette guerre, un art basé non sur la théorie critique mais plutôt ramené à «la réflexion sur le sens, le sujet et le contenu» fit évoluer l'intérêt vers un objectif public renouvelé [40]. Le fait que le monde de l'art ait à peine remarqué la passion sous-jacente à ces drames publics est, semble-t-il, un signe indéniable du mépris tacite avec lequel de nombreuses personnes du monde de l'art considèrent leur public et le public en général. [41]

39] Horsefield, extrait de *Les Conférences*, p. 93.

40] Cf. Elizabeth Hess, «A Tale of Two Monuments»» (Récit de deux monuments), *Art in America 71* (avril 1983) ; pp. 121-26 ; *«Moscow's Monuments Come Tumbling Down»* (Les monuments de Moscou s'écroulent), *Art in America 79*, (octobre 1991) : p. 37 ; et Roxanne Roberts, *«Honoring the Women»* (Honorer les femmes), *Washington Post* (2 novembre 1993), pp. 1, 8.

41] Cf. Adam Gopnik, *«The Death of the Audience»* (La mort du public), *New Yorker* (5 octobre 1992) : pp. 141-46.

Dies war genau Jeff Walls Position, als er Balkenhol dafür Anerkennung zollte, daß er einen Weg zur «Neuerfindung» der Skulptur dahingehend gefunden hatte, der Figur das «Potential einer spontanen Form bzw. des Erkennens der Bedeutung zu verleihen.» [38] *Der englische Fotograf Craigie Horsefield trug eloquent Argumente für ein neues Zugehen auf die Skulptur vor, als er das Thema auf dem Rotterdamer Symposium «The Body is Present», das offiziell der Darstellung des Körpers in der zeitgenössischen Kunst gewidmet war, sich dann jedoch auf Balkenhols Werk konzentrierte, aufgriff.*

Was ich sagen will ist, daß wir derzeit dem Heute entsprechende Gedanken in einer Form ausdrücken, die - gemäß (Balkenhols) Definition dieser avantgardistischen Konvention - extrem altmodisch ist. Doch natürlich können wir den komplexesten und futuristischsten Gedanken damit Ausdruck verleihen - d.h. Gedanken, die unserer Zeit entsprechen ... In den Skulpturen Stephan Balkenhols und in meinen Fotos können wir alle Arten der Sprache, die uns zugänglich sind, verwenden - doch die Bedeutung betrifft im wesentlichen die Gegenwart. Natürlich stellt dies eine Erschwernis dar, denn wir sind es gewohnt, nach avantgardistischen Anzeichen Ausschau zu halten. Mit dem Verlust des Fortschritts verlieren wir auch die Avantgarde. Tatsächlich sind wir mit einer Welt konfrontiert, in der wir gezwungen sind, zur Bedeutung zurückzukehren, zum Sujet, zum Inhalt als dem neuen Ding - und das ist schwieriger, problematischer.[39]

Horsefield glaubt, daß wir die zu einfache Identifizierung von Werken als progressiv oder konservativ aufgrund von Fragen der Darstellung und Ideologie hinter uns lassen müssen. Der Inhalt und die Rolle der Kunst in einer plötzlich und in beängstigender Weise in Bewegung gekommenen Welt sind Fragen, die angesprochen werden müssen, wenn die Kunst ihre Bedeutung für ein breiteres Publikum wiedererlangen soll. Möglicherweise hatten die zwingendsten Entwicklungen in der Kunst seit Ende der achtziger Jahre überhaupt nichts mit der jüngsten konzeptualen oder ästhetischen Mode zu tun. In einer Zeit, in der chinesische Kunststudenten der Freiheit ernsthaft Denkmäler setzten, in der Russen und Osteuropäer ganz einfach unzählige, zu Ehren von Marx und Lenin errichtete Monumente dem Erdboden gleichmachten und in der amerikanische Veteranen darauf bestanden, daß auf

38] Wall, vgl. in *Stephan Balkenhol* (Kunsthalle Basel, 1988), n.p.

39] Horsefield, vgl. in *Die Konferenzen*, S. 93.

Redonnant à la sculpture une image publique, Stephan Balkenhol a sûrement choisi une tâche difficile. Il est méprisé par ceux qui considèrent sa démarche comme traditionnelle, historique et bassement flatteuse envers son public. Toutefois, à ce stade encore précoce de sa carrière, on ne fait pas trop grand cas de la teneur publique de son travail. Si Balkenhol a su tirer la sculpture figurative d'une tradition pesante et réussi une approche différente, il l'a fait en jetant par dessus bord le type de contenu expressif qui caractérise la sculpture figurative sur bois. Comme le suggère l'œuvre conçue pour la Biennale de Johannesburg, il imprègne son travail d'idées et de contenu lorsque le contexte le suggère. La narration pourrait être la prochaine étape cruciale du développement de l'œuvre de Balkenhol, car le contenu de sa sculpture à venir sera vraisemblablement sa mesure.

Balkenhol va de l'avant avec une innocence calculée qui a une valeur tonique bienvenue dans l'art contemporain. Son art, semblerait-il, n'appartient pas à ceux qui le convoitent mais plutôt à ceux qui le découvrent avec simplicité. En Europe et aux États-Unis, des continents désormais peuplés d'hommes et de femmes originaires d'autres lieux et ayant d'autres cultures, la signification de la sculpture de Balkenhol réside dans l'anonymat même de ses hommes et de ses femmes. Malgré leur discrétion, ils demeurent présents avec insistance. ■

Maya Lins streng geometrisches, aus dem Jahr 1982 stammendes Vietnam Veterans Memorial zwei figürliche Monumente zum Gedenken an die Teilnehmer dieses Krieges folgen müßten, verlagerte eine Kunst, deren Grundlage nicht die kritische Theorie, sondern vielmehr das «Zurück zur Bedeutung, zum Sujet, zum Inhalt» darstellt, ihren Schwerpunkt auf einen erneuerten, der Öffentlichkeit dienenden Zweck.[40] *Daß die Kunstszene kaum Notiz von der diesen öffentlichen Dramen zugrundeliegenden Leidenschaft nahm ist - so scheint es - ein sicheres Zeichen für die insgeheime Geringschätzung, die viele Angehörige der Kunstszene ihrem Publikum und der Öffentlichkeit ganz allgemein entgegenbringen.*[41]

Die Bildhauerkunst wieder für die Öffentlichkeit erstehen zu lassen - damit hat Stephan Balkenhol sicherlich eine schwere Aufgabe gewählt. Er zieht sich den Spott derjenigen zu, die seine Bemühungen als traditionell, historisch und ihn in einer Kupplerrolle gegenüber seinen Betrachtern sehen. Und doch - in dieser noch frühen Phase seiner Karriere sollte man hinsichtlich des die Öffentlichkeit betreffenden Inhalts seiner Arbeiten nicht zu heftig argumentieren. Balkenhol, der die figürliche Bildhauerei aus einer beschwerlichen Tradition wieder zum Leben erweckte und einen ganz anderen Weg der Annäherung fand erreichte dies, indem er genau die Art ausdrucksvollen Inhalts über Bord warf, der die Holzskulptur charakterisiert. Wie seine Arbeit für die Johannesburger Biennale zeigt, haucht er seinem Werk Ideen und Inhalte ein, wenn der Kontext dies nahelegt. Das Narrative kann der entscheidende nächste Entwicklungsschritt in der Arbeit Balkenhols sein, denn der Inhalt seiner zukünftigen bildhauerischen Tätigkeit wird wahrscheinlich ihr Maßstab sein.

Im Bewußtsein der Reinheit - einem willkommenen «Tonikum» für die zeitgenössische Kunst - schreitet Balkenhol voran. Seine Kunst, so scheint es, gehört nicht denjenigen, die sie begehren, sondern vielmehr denen, die einfach auf sie stoßen. In Europa und Amerika -Kontinenten, die heute von Männern und Frauen aus anderen Ländern und Kulturen dicht besiedelt sind- kann die Bedeutung von Balkenhols bildhauerischer Arbeit in der eigentlichen Anonymität der von ihm geschaffenen Männer und Frauen liegen. Trotz ihrer Unaufdringlichkeit sind sie dennoch ständig präsent. ■

40] Vgl. Elizabeth Hess, «A Tale of Two Monuments», *Art in America* 71 (April 1983) ; S. 121-26 ; «Moscow's Monuments Come Tumbling Down», *Art in America 79*, (Oktober 1991) : S. 37 ; und Roxanne Roberts, «Honoring the Women», *Washington Post* (2. November 1993), S. 1, 8.

41] Vgl. Adam Gopnik, «The Death of an Audience», *New Yorker* (5. Oktober 1992) : S. 141-46.

A travers l'arbre,
Durch den Baum 1996
Bubinga sculpté
en réserve et peint
Im Bubingabaum
geschnitzt und bemalt
H : 240 cm ø : 220 cm
Parc de Sculpture
Contemporaine de Pourtalès,
Strasbourg-Robertsau

A travers l'arbre

Paul Guérin

Situé dans les anciens faubourgs maraîchers de Strasbourg - eux-mêmes conquis sur l'antique Forêt du Rhin -, le Parc de Pourtalès voit depuis 1988 s'élaborer une collection de sculpture, conçue par le Centre Européen d'Actions Artistiques Contemporaines.

Le thème retenu pour donner une cohérence à cet ensemble est de réunir des œuvres expérimentant, chacune à leur manière, les relations que l'art d'aujourd'hui peut établir entre la Nature et la Figure.

Après les *Arbrorigènes,* d'Ernest Pignon-Ernest, *Il bosco guarda e ascolta* de Claudio Parmiggiani, *The Bowler* de Barry Flanagan et *Leur lieu* de Jean-Marie Krauth, c'est un projet conçu pour ce site par Stephan Balkenhol, *A travers l'arbre,* qui vient d'être réalisé grâce à une commande du Conseil Général du Bas-Rhin mise en œuvre par le CEAAC.

Vue à distance, cette pièce rappelle la rigueur des volumes de l'art minimal (notamment *Trunk* de Richard Serra, exposé à Münster en 1987) mais au fur et à mesure que l'on s'en approche, la matérialité naturelle et sensuelle du bois vient contredire la froideur de sa découpe.

Réalisée dans un bois tropical, le bubinga, et revêtant l'aspect d'un tronc sectionné et largement évidé qui aurait bizarrement été conservé sur son lieu naturel, cette œuvre semble continuer une tradition d'acclimatation d'essences exotiques qui fut longtemps l'un des charmes des grands jardins ; elle illustre la manière dont Balkenhol intègre des données topographiques et historiques du site dans sa conception de la sculpture.

De même que *The Bowler* de Barry Flanagan, présent dans ce même parc, donnait à un animal une attitude et une activité humaines, les figures sculptées par Balkenhol en réserve dans les faces internes de l'arbre réunissent des personnages d'aspect quotidien et des figures hybrides : homme-cerf et femme-renard. Ces dernières évoquent l'imaginaire des littératures dans lesquelles des animaux ont des conduites humaines ou des héros frappés de quelque métamorphose comme on en rencontre dans des récits mythologiques : Actéon changé en cerf par Artémis qu'il avait surprise au bain, par exemple... De telles figures, souvent allégoriques des saisons ou des éléments

Durch den Baum

Paul Guérin

Dort, wo sich vor den Toren Straßburgs einst weite, dem Rhein-Urwald abgewonnene Gemüsegärten erstreckten, entsteht seit 1988 im Schloßpark von Pourtalès eine Skulpturensammlung, die vom Centre Européen d'Actions Artistiques Contemporaines (CEAAC, Europäisches Zentrum für Zeitgenössische Kunst) ins Leben gerufen wurde.

Um dem Ganzen Kohärenz zu verleihen, liegt allen Werken ein und dasselbe Thema zugrunde. Jedes experimentiert auf seine Weise mit den Beziehungen, wie sie die moderne Kunst zwischen der Natur und der Figur herstellen kann.

Nach den Arbrorigènes *von Ernest Pignon-Ernest,* Il bosco guarda e ascolta *von Claudio Parmiggiani,* The Bowler *von Barry Flanagan und* Leur lieu *von Jean-Marie Krauth realisierte zuletzt Stephan Balkenhol sein Projekt* A travers l'arbre, *eine vom CEAAC initiierte Auftragsarbeit des Conseil Général du Bas-Rhin.*

Aus der Ferne erinnert das Stück an die strengen Formen der Minimalkunst (besonders Trunk *von Richard Serra, 1987 in Münster ausgestellt), doch je mehr sich der Betrachter nähert, desto mehr widerspricht die natürliche, sinnliche Materialität des Holzes der Kälte seines Zuschnitts.*

Das aus tropischem Bubinga-Holz gefertigte Werk mit dem Aussehen eines durchtrennten, ausgehöhlten Baumstammes, der seltsamerweise an seinem natürlichen Standort erhalten blieb, scheint die in großen Gärten lange Zeit beliebte Tradition der Akklimatisierung exotischer Pflanzenarten fortzuführen. Sie veranschaulicht, wie Balkenhol topographische und historische Gegebenheiten eines Platzes in seine Konzeption einer Skulptur einbezieht.

So wie bei dem ebenfalls in dem Park präsenten The Bowler *von Barry Flanagan ein Tier menschliche Züge annimmt, zeigen die von Balkenhol in die zwei Bauminnenseiten hineingeschnitzten Figuren neben alltäglich wirkenden seltsam hybride Gestalten : halb Mann, halb Hirsch und halb Frau, halb Fuchs. Diese Zwitter scheinen einer Fabelwelt entsprungen, in der die Tiere menschliches Verhalten aufweisen oder die Helden, ähnlich wie in mythologischen Erzählungen, irgendeiner Verwandlung zum Opfer fielen : Aktäon etwa, der von Artemis in einen Hirsch verwandelt wurde, weil er die Göttin beim Bade überrascht hatte...*

de la nature, composaient le programme ornemental des jardins de l'âge baroque. Toutefois, par la régularité de leur disposition, l'égalité de leur taille quels que soient leur sexe ou leur nature, la neutralité de leur expression, Balkenhol confère à ces figures une dimension d'objectivité qui constitue un des acquis de la sculpture moderne non-figurative et restreint la narrativité suggérée par ces "métamorphoses".

Mais surtout, ces figures sobrement vêtues d'habits actuels, nous regardent et par ce simple effet acquièrent une présence singulière, accrue par la proximité à laquelle nous contraint à les considérer le faible espacement des blocs de bois qui les portent. Alors que ces derniers sont massifs et imposants eu égard à notre taille, leur monumentalité n'est pas celle d'un socle qui, traditionnellement, mettrait ces figures à une distance dominatrice : en passant "à travers l'arbre" s'opèrent plutôt un brusque changement d'échelle et une subite ouverture d'espace puisque ces figures qui ne touchent pas terre semblent à la fois proches de nous et flotter dans un ciel rendu visible par une imprévisible transparence de ce tronc lasuré en bleu.

La teinte naturelle du bois n'est présente qu'au niveau des mains et des visages, transfusant dans les figures humaines, dégagées par des coups de gouge où demeure sensible le geste du sculpteur, quelque chose de la vie secrète de l'arbre qui fut.

A travers l'arbre révèle sous le mode de la métamorphose une narrativité subtile, et complexe que Neal Benezra* pressentait dans l'oeuvre récent de Balkenhol : subtile, parce qu'à peine induite à l'esprit par la réunion des personnages et la transformation animale d'une partie de leurs corps ; complexe, parce que cette œuvre, placée sur un chemin qui la traverse, décline successivement au cours de son approche des qualités formelles et spatiales qui se transforment et s'inscrivent autant dans l'histoire de la sculpture récente que dans celle de l'art des jardins.

Jadis, s'aventurer en forêt était, à en croire les contes de notre enfance ou les récits d'explorations, l'occasion de surprenantes rencontres. C'est aujourd'hui dans la matière de l'arbre et la poétique de son art que Balkenhol nous confronte à des apparitions étrangement familières. ■

* Neal BENEZRA,
Une tradition refigurée,

Solche Figuren, oft allegorische Darstellungen der Jahreszeiten oder der Elemente der Natur, bildeten einst die Zierde barocker Gärten. Durch die Regelmäßigkeit ihrer Anordnung, die Gleichmäßigkeit ihrer Größe unabhängig von Geschlecht oder Wesen und die Indifferenz ihres Ausdrucks verleiht Balkenhol den Figuren jedoch eine objektive Dimension, wie sie eine der Errungenschaften der modernen, nicht-figurativen Bildhauerei bildet und die Botschaft kompensiert, die besagte «Metamorphosen» vermitteln.

Doch vor allem blicken diese schlicht-modern gekleideten Figuren uns an und gewinnen durch diesen simplen Effekt eine einzigartige Präsenz, die noch verstärkt wird durch die Nähe, aus der die geringe Entfernung der sie tragenden Holzblöcke zur Betrachtung zwingt. Letztere sind angesichts unserer Größe zwar massiv und imposant, doch ihre Monumentalität ist nicht die eines Sockels, der die Figuren normalerweise auf eine unüberbrückbare Distanz hebt : Beim Gang «durch den Baum» ändert sich vielmehr der Maßstab plötzlich, der Raum öffnet sich, weil die Figuren, die den Boden nicht berühren, uns nah und doch in einem Himmel zu schweben scheinen, der durch die unvermutete Transparenz des blau eingefärbten Baumstumpfes sichtbar gemacht wird

Die natürliche Färbung des Holzes ist nur in den Händen und Gesichtern vorhanden, sie fließt in die gemeißelten menschlichen Silhouetten ein, in denen die Arbeit des Bildhauers, etwas von dem geheimen, vergangenen Leben des Baumes noch spürbar ist.

A travers l'arbre *offenbart nach Art der Metamorphose eine subtile, komplexe Aussage, wie sie Neal Benezra* in den jüngsten Werken Balkenhols erahnte : subtil, weil in der Auswahl der Personen und der tierischen Verwandlung eines Teils ihres Körpers kaum bewußt werdend; komplex, weil das Werk - auf einem Weg plaziert, der es durchquert - beim Näherkommen nach und nach formale und räumliche Eigenschaften preisgibt, die sich verwandeln und der jüngsten Geschichte der Bildhauerei wie auch der Gartenkunst Reverenz erweisen.*

* Neal BENEZRA, *Die Figürliche Neugestaltung einer Tradition,*

Glaubt man den Reiseberichten und Geschichten unserer Kindheit, war der Wald einst Schauplatz erstaunlicher Begegnungen. In der Materie des Baumes und der Poesie seiner Kunst konfrontiert Balkenhol uns heute mit seltsam vertrauten Erscheinungen. ■

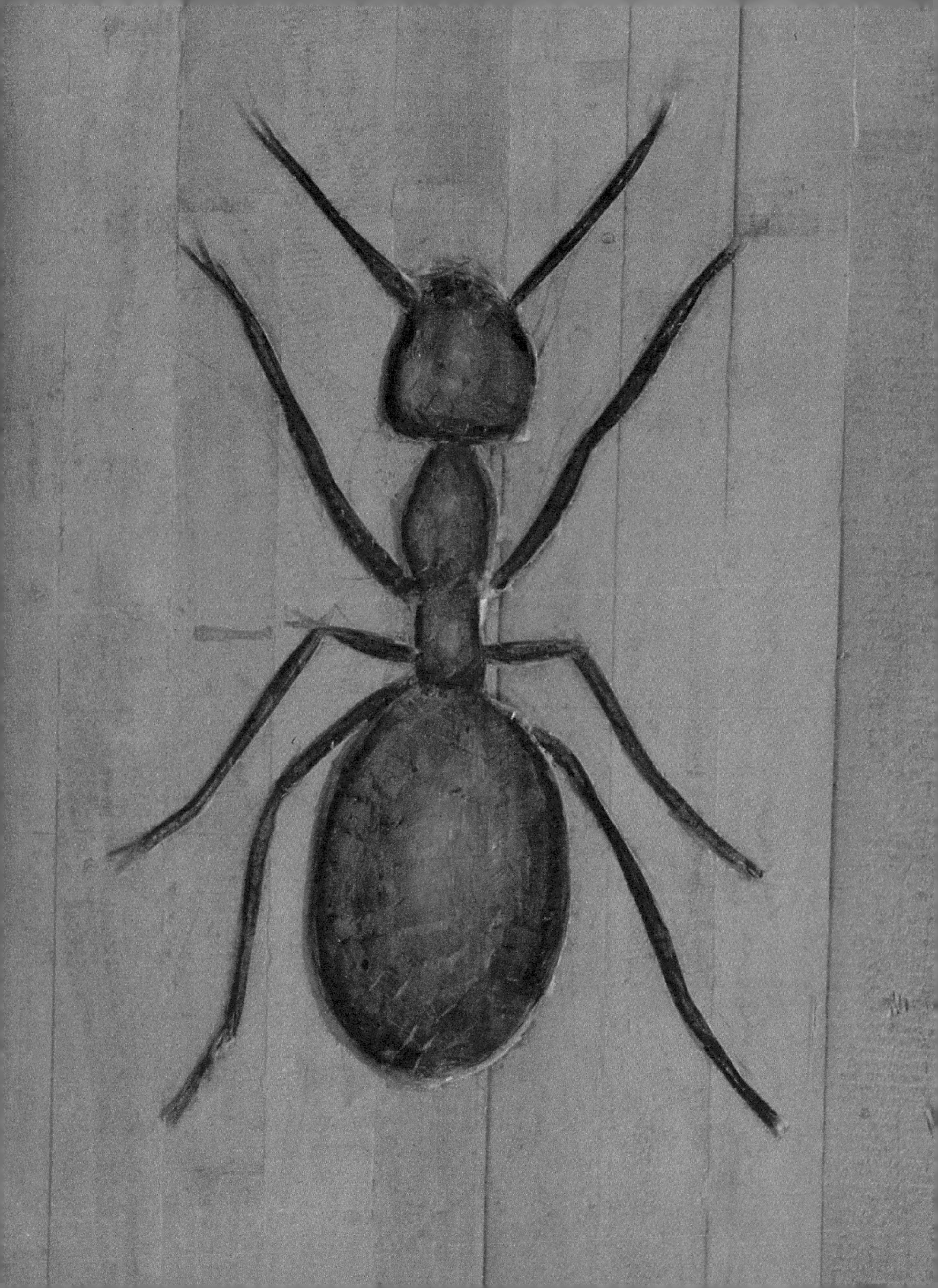

Everybody und Nobody oder Lob des Alltäglichen

Zu den Skulpturen von Stephan Balkenhol.

Carla Schulz-Hoffmann

Eine Frau und ein Mann, bekleidet mit weißem Sporthemd und grüner bzw. brauner Hose, beide leicht unterlebensgroß, aber durch einen groben Holzsockel dennoch über den Durchschnittsbürger erhoben, blicken unbestimmt ins Nirgendwo (Kat. S. 12-13). Sie - das Gesicht vom roten Bubischopf umrahmt - kreuzt die Arme über der Brust, er steht ebenso linkisch wie kess in manierierter Standbein-Spielbeinpose die linke Hand lässig hinter den Kopf gelegt. Beide kommen uns in ihrer banalen Alltäglichkeit vertraut vor, beide wirken jedoch zugleich wie eine Travestie heerer kulturhistorischer Topoi : Sie die neuzeitliche Variante einer ägyptischen Gottheit, er die Verballhornung eines klassischen griechischen Idealbildes und noch dazu - will man den Vergleich auf die Spitze treiben - in vertauschtem geschlechtlichen Rollenspiel, denn Pagenkopf und verkreuzte Arme begegnen überwiegend bei männlichen ägyptischen Figuren (vgl. Abb.1 u.2)[1], und Balkenhols klassischer Mann scheint spiegelverkehrt recht unmißverständlich die «Verwundete Amazone des Kresilas» (Abb. 3) zu paraphrasieren. Und auch wenn der Künstler selbst hier unbewußt aus dem Erinnerungsrepertoire geschöpft haben mag, stellt sich zumindest beim Betrachter der Eindruck eines «Déjà vu» ein, ohne dessen jedoch eindeutig habhaft werden zu können. Zu einem ironischen Umkehrschluß wird so das Ideal zum Allgemeinen, die Banalität zum eigentlich Erhabenen, Besonderen. Orientierungspunkt ist keine ferne, in der Realität kaum verifizierbare Vorstellung von Schönheit, sondern vielmehr ein allen zugängliches und verfügbares Durchschnittsmuster, das niemanden überfordert oder ausschließt, in dem jedoch zugleich immer auch die Hoffnung mitschwingt, vielleicht doch in irgendeiner archaischen Ferne mit dem Außergewöhnlichen identisch gewesen zu sein.

«Jedermann» kann an diesem Kosmos der Allgemeinplätze teilhaben, wie alle «Niemand» sind, unspezifisch, umfangen von gleichmäßiger Manierlichkeit, Naivität und Beliebigkeit. Da gibt es keine spezifischen Verhaltensmuster, keine sozialen Hierarchien, keine Trennung durch guten oder schlechten Geschmack. Die Kleidung gleicht einer ebenso braven wie egalisierenden Internatskleidung, die weder modische Eskapaden noch Selbststilisierung duldet. In Verbindung mit dem Habitus der meist jugendlichen

1] vgl. dazu einerseits die geläufige Form etwa der Osiris-Darstellung, die den Gott meist mit verkreuzten Armen zeigt sowie den Haarschnitt von Handwerkern, Gehilfen etc. des jeweiligen Pharao in ägyptischen Grabmalereien. Für diese und andere hilfreiche Recherchen danke ich Eva Krafft und Ulla Weich.

Everybody et nobody ou éloge du quotidien

Les sculptures de Stephan Balkenhol

Carla Schulz-Hoffmann

1. Herstellung von Metall und Steingefäßen *Fabrication de récipients de métal et de pierre* 18. Dynastie, um 1640 v. Chr Theben-West, Grab des, *Tombeau de,* Rechmîre

Un homme et une femme, vêtus d'une chemise sport de couleur blanche et d'un pantalon, brun pour l'un, vert pour l'autre, pas tout à fait grandeur nature mais dominant pourtant la moyenne des gens grâce à un socle de bois brut: ils ont le regard vague, fixé dans le vide (cat. n° 12-13). Elle est coiffée au carré et croise les bras sur sa poitrine; l'homme se tient en appui sur une jambe, dans un déhanchement tout à la fois maladroit et provocant, la main gauche nonchalamment posée derrière la tête. Dans leur banalité quotidienne, ces deux personnages nous paraissent familiers, tout en évoquant, en manière de pastiche, un foisonnement de motifs culturels traditionnels: elle pourrait apparaître comme une variante moderne de divinité égyptienne, tandis qu'il représenterait la réplique altérée d'une figure idéale de la Grèce classique. En réalité, – si l'on voulait pousser la comparaison jusqu'à son terme –, il faudrait parler d'une sorte de jeu de rôle transsexuel. En effet, la coiffure de page et les bras croisés se rencontrent essentiellement dans les représentations égyptiennes masculines (cf. ill. 1 et 2)[1]; quant à l'homme classique de Balkenhol, il fait irrésistiblement songer à une paraphrase inversée de l'«Amazone blessée» de Crésilas (ill. 3). On ne peut évidemment exclure que l'artiste ait puisé inconsciemment parmi ses souvenirs ; mais le spectateur n'en éprouve pas moins une impression de déjà vu, empreinte cependant d'une certaine équivoque. Par un renversement ironique, l'idéal devient ordinaire, la banalité se transforme en sublime, en exceptionnel. Le repère n'est pas quelque idée lointaine de la beauté, dont la réalité offre peu d'exemples. Il se situe bien davantage dans un modèle moyen, accessible et disponible à tous, où subsiste pourtant à jamais l'espoir de se confondre avec l'exceptionnel, dans quelque lointain archaïque.

"Tout le monde" peut se retrouver dans cet univers de lieux communs qui, dans leur absence de singularité, leur mélange de bonnes manières, de naïveté et d'arbitraire, ne représentent "personne". On n'observe aucun schéma spécifique de comportement, pas de hiérarchies sociales, aucune distinction entre le bon et le mauvais goût. Le costume tient de l'uniforme de pensionnat, convenable et égalitaire, se refusant à

1] Cf. d'une part la forme courante de représentation d'Osiris par ex., qui montre généralement le dieu les bras croisés, ainsi que la coupe de cheveux des artisans, aides, etc. des différents pharaons dans les peintures funéraires égyptiennes. Je remercie Eva Krafft et Ulla Weich pour leurs précieuses recherches à ce sujet.

Figuren erinnert sie lediglich in einem ganz allgemeinen Verständnis an das gängige Outfit junger Leute aus den späten 70er Jahren, als Balkenhol selbst noch ein Jugendlicher war. (Abb.4)

Darüberhinaus bleiben Männer wie Frauen jedoch vage, diffus und unspezifisch und widersprechen damit deutlich jedem im weitesten Sinne expressionistischen Verständnis von Skulptur, ein Eindruck, der durch die gewissermaßen «unspezifische» Materialbehandlung noch verstärkt wird. Während etwa E.L. Kirchner große, archaisierende Formen aus dem Holz herausarbeitete, die die flächige Reduktion seiner Malerei in die Plastik übersetzt (Abb. 5), und in jüngerer Zeit Georg Baselitz den Holzblock aggressiv, fast brutal in ein bildnerisches Konzept zwingt, das einen gesellschaftlichen Zustand zu spiegeln scheint (Abb. 6), bleibt Balkenhol auch hier eigenartig verhalten, beinahe zufällig. Keine Form wird besonders betont, die Oberfläche zeigt sich nicht in der einen oder anderen Richtung akzentuiert, sondern wird - dem Farbauftrag in einem impressionistischen Gemälde vergleichbar - durch relativ flach nebeneinanderliegende Beitelspuren wenig differenziert überzogen. Man wird einwenden können, daß sowohl Kirchner als auch Baselitz primär Maler sind und ihr bildnerischer Zugriff auch in der Skulptur von einer vergleichbaren Direktheit geprägt ist, wohingegen sich Balkenhol nach eher peripheren malerischen Anfängen ganz auf das plastische Arbeiten konzentrierte, das naturgemäß bodenständiger und behutsamer vorgehen muß. Aber dies allein vermag die Differenz nicht zu fassen. Vergleicht man z.B. den Gebrauch der Farbe, so fällt auf, daß Kirchner und Baselitz sie in der Plastik - überwiegend handelt es sich um Akte - im Sinne der Malerei zur Akzentuierung eines expressiven Gehalts einsetzen, während Balkenhol sie eher attributiv und beiläufig benutzt, um etwa die einzelnen Kleidungsstücke voneinander abzugrenzen oder Haare, Augenbrauen und Mund zu betonen. Sie bleibt jedoch an den Gegenstand gebunden, geht nicht über ihn hinweg, ist also «Lokalfarbe» im traditionellen Verständnis. Indirekt äußert sich Balkenhol in einem Gespräch mit Ulrich Rückriem bezogen auf Donatello und Michelangelo über das, was ihm dabei vorschwebt :

2. Innerster der drei Särge des Königs Tutanchamun 18. Dynastie, um 1350 v. Chr.
Dernier des trois sarcophages de Toutânkhamon

3. Kresilas,
Verwundete
Amazone,
Amazone blessée
gegen 430 v. Chr.

toute concession à la mode sans tomber pour autant dans la stylisation. Associé au physique des personnages, en majorité juvéniles, il rappelle simplement, de manière très générale, l'allure courante des jeunes de la fin des années 70, c'est-à-dire de la jeunesse de Balkenhol lui-même (ill. 4).

Ajoutons qu'hommes et femmes conservent quelque chose de vague, de diffus, une absence de tout signe particulier qui s'oppose clairement à la conception expressionniste de la sculpture au sens large du terme. Cette impression se trouve encore renforcée par le traitement du matériau, qui semble, lui aussi, "dépourvu de signes particuliers". Balkenhol se différencie ainsi d'un Kirchner, par exemple, dégageant du bois ses grandes formes archaïsantes qui transposent dans l'espace la planéité de sa peinture (ill. 5) ou, plus récemment, d'un Georg Baselitz contraignant agressivement, brutalement presque, la pièce de bois à s'intégrer dans un concept plastique, qui semble refléter une situation sociale (ill. 6). Par contraste, Balkenhol reste ici encore singulièrement retenu, presque léger. Il ne met en relief aucune forme particulière ; la surface n'est pas accentuée dans une direction ou dans une autre. Évoquant un peu les touches colorées d'une toile impressionniste, elle est recouverte de façon assez indifférenciée par des traces de ciseau juxtaposées de façon relativement plane. On pourrait objecter que Kirchner comme Baselitz sont avant tout des peintres, et que leur approche de la sculpture traduit une immédiateté comparable. Ce n'est pas le cas de Balkenhol, qui, abstraction faite de débuts picturaux quelque peu marginaux, s'est entièrement consacré à des œuvres en trois dimensions, dont la nature même requiert un ancrage plus solide, davantage de circonspection. Mais cette objection ne saurait suffire à rendre compte de sa différence. Si l'on étudie ainsi l'utilisation de la couleur, on verra que dans leurs sculptures – et il s'agit essentiellement de nus –, Kirchner et Baselitz l'emploient dans un sens pictural, pour accentuer un contenu expressif. En revanche, Balkenhol en fait un complément, un accessoire, qui lui permet notamment de délimiter les différentes pièces de vêtements ou d'accentuer la chevelure, les sourcils et la bouche. Mais la couleur reste liée à l'objet, elle ne le dépasse pas. Il s'agit donc de "couleur locale", au sens

«Ach ja, das ist mir neulich aufgefallen als ich in Rom war und da hab' ich auf einmal gesehen, wo der Unterschied zwischen Donatello und Michelangelo ist... Mit der verhaltenen Geste. Also, daß die Gesten von den Figuren viel verhaltener und unausgesprochener sind, nicht so direkt, so plakativ ausgeprochen sind wie bei Michelangelo. Die Bewegungen, das Versteckte, in der Figur Bleibende..., daß das nicht ausgesprochen wird, daß das nicht ganz klar ist, was die Figur jetzt als Nächstes machen würde. Das war toll! Und dann die Oberfläche auch, nicht so durchgearbeitet, so bis zum Letzten durchgefummelt.»[2]

4. Stephan Balkenhol *Ohne Titel,* 1978/79

Dies gilt auch dort, wo die Figuren, wie etwa in den neuen Reliefs (vgl. Kat. S. 88, 100, 101, 103), nicht nur formal einen Hauch präziser akzentuiert sind, sondern auch durch begleitende Attribute in einen vermeintlich eindeutigen Kontext geraten. Die als giftig gefürchtete Kreuzspinne ist einem weiblichen Akt zugeordnet, der damit gleichermaßen in den Geruch des Gefährlichen gerät, jedoch auch selbst bedroht ist. Die Legenden gerade zu diesem Insekt sind ebenso vielfältig wie disparat und unterlaufen damit bei näherer Betrachtung jeden eindimensionalen Interpretationsversuch : So verwandelte Athena Arachne aus Eifersucht in eine Spinne, und eine Kreuzspinne verhinderte durch ein flugs vor die Höhle gespanntes Netz die Entdeckung des Jesusknaben, der sich mit seinen Eltern dorthin geflüchtet hatte. Die Kreuzspinne vermag zu retten und zu töten, gilt als Glücksbringer (durch das Kreuz) und darf deshalb nicht getötet werden, obwohl jeder normale Sterbliche sie wie «den Teufel» fürchtet (sie wurde stets in engster Verbindung zu ihm gesehen), aber darüber hinaus wird der Spinne eine besondere Nähe zu Frauen angedichtet, sie entspricht ihnen, wie sie von ihnen angeblich gehaßt wird.[3] Ähnlich sieht es mit der Ameise aus, die in Balkenhols Relief den Mann, wie beim Haupt der Medusa, als Gegenpol begleitet : Die vier aneinandergestellten Holzteile zeigen jeweils auf einer Seite denselben Mann in unterschiedlichen, aber gleichermaßen unbeholfenen, schüchternen Stellungen, auf der anderen Seite eine monströse, scheinbar genmanipulierte Superameise, die dadurch jedoch nicht wirklich erschreckend wird.

2] Stephan Balkenhol in einem Gespräch mit Ulrich Rückriem am 27. Oktober 1992, zit. nach: Kat. Ausst. *Stephan Balkenhol, über Menschen und Skulpturen,* Rotterdam 1993, S.16.

3] vgl. hierzu u.a.: *Handwörterbuch des Deutschen Aberglaubens*, Bd.8, Berlin/Leipzig 1936/37, Sp.265-282.

traditionnel du terme. Dans un entretien qu'il a eu avec Ulrich Rückriem à propos de Donatello et de Michel-Ange, Balkenhol a exprimé indirectement ses idées à ce sujet: "Il y a une chose qui m'a frappé récemment, quand j'étais à Rome. J'ai compris tout d'un coup où se situe la différence entre Donatello et Michel-Ange... C'est une question de retenue du geste. Les gestes des personnages sont beaucoup plus retenus et inexprimés, moins directs, moins affichés que chez Michel-Ange. Les mouvements, ce qui est caché, ce qui reste à l'intérieur du personnage ... le fait que cela ne soit pas exprimé, qu'on ne sache pas exactement ce que ferait ensuite le personnage. C'était formidable. Et il y a aussi la surface, qui n'est pas aussi travaillée, pas aussi triturée jusqu'à l'extrême limite."[2]

5. Ernst Ludwig Kirchner *Nackte, mit untergeschlagenen Beinen sitzende Frau*, 1912

Ces observations s'appliquent également à des figures comme les nouveaux reliefs (cf. cat. p. 88, 100, 101, 103), dont la forme est pourtant définie avec un tout petit peu plus de précision ; en outre, la présence d'attributs les situe dans un contexte qui se veut limpide. L'épeire diadème, une araignée considérée comme venimeuse, se trouve ainsi accolée à un nu féminin. Elle lui prête sa connotation menaçante, tout en paraissant le mettre en danger. Les légendes qui entourent cette araignée sont aussi nombreuses que variées, et interdisent, à y regarder de plus près, toute tentative d'interprétation unidimensionnelle : on nous raconte que, poussée par la jalousie, Athéna métamorphosa Arachné en araignée ; que, par ailleurs, une épeire tissa sa toile devant la grotte où l'enfant Jésus et ses parents avaient trouvé refuge, protégeant ainsi leur retraite. L'épeire peut sauver et tuer, c'est un porte-bonheur (en raison de la croix qui orne son dos) qu'il ne faut pas tuer, alors même que tout individu normal la craint comme "le diable" (auquel elle a toujours été étroitement associée). On lui prête par ailleurs une proximité particulière avec les femmes ; elle est semblable à elles, alors même qu'elles sont censées la haïr.[3] On pourrait se livrer à des observations analogues à propos de la fourmi, que Balkenhol associe au relief de l'homme, à l'image de la tête de Méduse entourée de serpents. Chacun des quatre éléments de bois juxtaposés présente sur une face un seul et même homme, dans des positions différentes, mais tout aussi maladroites, embarrassées, et sur l'autre, une

2] S. B. dans un entretien avec Ulrich Rückriem le 27 octobre 1992, cité in : Catalogue d'exposition. *S. B., à propos d'hommes et de sculptures.* Rotterdam 1993, p. 16.

3] Voir à ce sujet notamment *Handwörterbuch des Deutschen Aberglaubens*, vol. 8, Berlin, Leipzig 1936-1937, p. 265-282.

Die Ameise, fleißig, treu und klug, geprägt von ausgefeiltem soldatischen Verhalten und mit einer hohen Sozialstruktur, ist ikonographisch nicht notwendigerweise mit geschlechtsspezifischen, jedoch allgemein eher positiven Eigenschaften ausgerüstet. Dort, wo sie negativ besetzt wirkt, wie zum Teil in den antiken, aber auch deutschen Verwandlungsmärchen, ist sie dennoch nicht als charakterlich böse gemeint : So können Gottlose, aber auch Riesen in Ameisen verwandelt und damit neutralisiert werden.[4] Letzteres führt zurück auf die bei Balkenhol eigentümliche Verschiebung der Realität durch ständige Formatsprünge, die die Figuren mal winzig, mal riesig erscheinen lassen und damit ebenso auf die Relativität der Wahrnehmung als faktische Größe wie auch ihre unterschiedliche psychische Dimension anspielen. Balkenhol erinnert in diesem Zusammenhang an «Jim Knopf und Lukas den Lokomotivführer», die einem Scheinriesen in der Wüste begegnen, der den kleinen Jim auf die Entfernung in Angst und Schrecken versetzt und sich aus der Nähe betrachtet als völlig harmlos und liebenswert erweist.[5] Neben der darin angesprochenen moralischen Komponente verweist die Geschichte auf einen Grundgedanken in Balkenhols Skulpturen, die in ähnlicher Weise jede voreilig wertende Wahrnehmung hinterfragen und die Relativität von Groß und Klein, Gut und Böse etc. thematisieren.

Es ist dieses Diffuse, Unbestimmte, was Balkenhol an Skulptur reizt, was seinem zeitgenössischen Umgang mit Wirklichkeit, mit Figur entspricht. In der Skulptur war ja das figurative Thema durch die Vereinnahmung von Faschismus und Sozialistischem Realismus länger verpönt als in der Malerei, und erst die Generation von Balkenhol, die die Künstler der Arte povera und Minimal Art als ihre Lehrväter und Antipoden sehen, wagten sich wieder an die menschliche Figur. Und es ist bezeichnend, daß Balkenhol dabei versucht, einen Mittelweg auszuloten, der Gegenständlichkeit und Abstraktion gleichermaßen enthält. Balkenhols Figuren sind stets Mischungen, markieren die Nahtstelle zwischen beiden Polen. Zumeist ähnlich gekleidet, vermeiden sie narrative oder allegorische Elemente, gehen keiner Beschäftigung nach, stehen für keine spezifische Rolle, sind neutrale Wesen, die Jedermann und Niemand zugleich meinen

4] Ebenda, Sp. 361-364, sowie Gerd Heinz-Mohr, *Lexikon der Symbole, Bilder und Zeichen der christlichen Kunst*, Köln 1983, S.31.

5] Michael Ende, *Jim Knopf und Lukas der Lokomotivführer*, Stuttgart/Wien 1960.

6. Georg Baselitz
Ohne Titel, 1982/83

fourmi gigantesque, monstrueuse, fruit probable de manipulations génétiques, et qui pourtant n'a rien de véritablement effrayant. La fourmi, insecte diligent, dévoué et intelligent, caractérisé par un comportement militaire très élaboré et par une structure sociale complexe, n'est pas obligatoirement liée iconographiquement à un sexe particulier. Mais elle est toujours chargée de connotations plutôt positives. Dans les quelques cas où elle apparaît sous un jour négatif, comme dans certains récits antiques – ou allemands –, de métamorphose, elle n'est cependant pas présentée comme intrinsèquement malfaisante : il arrive ainsi que des impies, ou des géants, soient transformés en fourmis afin d'être neutralisés.[4] Ce dernier point nous ramène à une autre particularité de Balkenhol : le décalage qu'il impose à la réalité au moyen de glissements constants de format. Ses figures paraissent ainsi tantôt minuscules, tantôt gigantesques, renvoyant à la relativité de la perception des grandeurs réelles, en même temps qu'à la diversité de leur dimension psychique. Balkenhol évoque à ce propos l'histoire de "Jim Knopf et Lucas, le conducteur de locomotive". Ils aperçoivent dans le désert un géant qui, de loin, inspire au petit Jim une affreuse terreur et qui, vu de près, se révèle parfaitement inoffensif et même adorable.[5] Au-delà de ses connotations morales, ce récit renvoie à une idée majeure des sculptures de Balkenhol, qui remettent en question, elles aussi, tout jugement "à première vue", et explorent le thème de la relativité entre grand et petit, bon et méchant, etc.

C'est ce caractère diffus, incertain, de la sculpture qui séduit Balkenhol; on le retrouve du reste dans sa relation contemporaine à la réalité, à la figure. En sculpture, victime de l'emploi abusif qu'en ont fait le fascisme et le réalisme socialiste, la figuration a connu une éclipse plus longue qu'en peinture. La génération de Balkenhol, qui considère les artistes de l'Arte povera et du minimal art comme des maîtres, tout en s'opposant à eux, a été la première à oser reprendre pour thème la figure humaine. Ce faisant, et ce point est significatif, Balkenhol s'efforce de sonder une voie moyenne, qui ferait part égale entre la figuration et l'abstraction. Les personnages de Balkenhol mêlent toujours les deux, ils marquent le point de jonction entre ces pôles. Le plus souvent vêtus à l'identique, ils éludent les éléments narratifs

Suite page 104

4] ibid., p. 361-364, ainsi que Gerd Heinz-Mohr, *Lexicon der Symbole, Bilder und Zeichen der christlichen Kunst*, Cologne 1983, p. 31.

5] Michael Ende, *Jim Knopf und Lukas der Lokomotivführer*, Stuttgart, Vienne, 1960.

können. Treffend umschreibt es Jeff Wall : «It develops as an incompletely particularized human figure, neither wholly shrunken into meagre individuality and solitude, nor a transcendent «Denkmodell», either classicistic or neo-expressionist. It is, strictly speaking, a monad : an isolated, condensed being, sharing some of the romantic symbolism connected to the image of the solitary tree out of which it is carved.» [6]

Oberflächlich betrachtet, entsprechen diese monadischen Lebewesen einem amerikanischen Kunstbegriff, wie er etwa bei Neil Jenney zum Tragen kommt (Vgl. Abb. 7,8). Auf den ersten Blick sind dessen Bilder eindeutige Feststellungen : sie zeigen konkret identifizierbare, einfache Gegenstände oder radikal verkürzte, jedoch unzweideutige Landschaftsausschnitte. Auf den bildzugehörigen, oft objekthaft-massiven Rahmen wird das jeweilige Bildmotiv in Großbuchstaben fixiert, um so nochmals die vermeintliche Klarheit der Darstellung zu unterstreichen. Dies gilt sowohl für die frühen, die «bad paintings», als auch für die ab 1971 einsetzenden «good paintings», die formal allerdings von unterschiedlichen Standpunkten ausgehen. Die «bad paintings», wie «Girl and Doll», demonstrieren einen kindlich-naiven, unausgefeilten Malstil, der jedem Rest von gutem Geschmack Hohn spricht. Damit setzte sich Jenney von Pop und Minimal Art und deren gelackten Oberflächen ab und betont gleichzeitig eine neue Inhaltlichkeit. Geprägt durch die politischen Auseinandersetzungen der sechziger Jahre und die Skepsis gegenüber einer Gesellschaft, deren Lebenshaltung sich in der neongleißenden Künstlichkeit endloser Supermarktketten und einer auf klinische Sauberkeit getrimmten Medienwelt spiegelt, propagiert Jenney eine Antihaltung, die all das vertritt, was man tunlichst vermeiden sollte.

Wie in der Pop Art, sind alle Bildthemen zwar banal, aber im Gegensatz zu ihr subjektiv, persönlich geprägt, und sie erzählen keine Geschichte, sondern deuten lediglich einen knappen Wirklichkeitsmoment an. Da steht auf bildfüllend grüner Wiese ein kleines Mädchen in rotem Kleid und roten Schuhen, das bitterlich über eine - zerbrochene Puppe weint («Girl and Doll»). Da fliegen ein amerikanischer und ein russischer Jagdbomber über einen blauen Himmel («Them and Us»). *Fortsetzung Seite 105*

6] Jeff Wall, *An Outline of A Context For Stephan Balkenhol's Work*, in: vgl. Anm.2, S.98 ff, hier: S.100/101.

Männliche Figur
Figure masculine
1996
Zedernholz, bemalt
Cèdre peint
172 x 112 x 27 cm

Kleine Frauenfigur
Petite figure (femme)
Collection,
Sammlung
Viviane und Horst
Schmitter
1996
Zedernholz, bemalt
Cèdre peint
88 x 103 x 44 cm

Paravant (Männer und Ameisen)
Paravent (hommes et fourmis)
1996
Pappelholz bemalt
peuplier peint,
vierteilig, pro Segment :
en 4 panneaux, chacun :
247 x 126 x 14 cm

Großes Frauenrelief
Grande femme en relief
1996
Pappelholz bemalt
peuplier peint,
247 x 97,5 x 14 cm

7. Neil Jenney
Girl and Doll,
1969

ou allégoriques, ne se livrent à aucune activité, n'incarnent aucun rôle spécifique. Ce sont des êtres neutres, qui peuvent représenter aussi bien tout le monde que personne. Jeff Wall en propose une bonne analyse : "Il s'agit du développement d'une figure humaine dont la particularisation demeure inachevée, qui n'est pas entièrement réduite à une individualité et à une solitude arides, sans être pour autant un "Denkmodell", un modèle de pensée classique ou néo-expressionniste. A strictement parler, il s'agit d'une monade : un être isolé, condensé, qui participe un peu du symbolisme romantique lié à l'image de l'arbre solitaire dans lequel il a été sculpté." [6]

Superficiellement, on pourrait dire que ces organismes monadiques correspondent à un concept artistique américain dont on trouve l'expression chez Neil Jenney, par exemple (cf. ill. 7, 8). Au premier abord, ses tableaux apparaissent comme des constats clairs et nets : ils représentent des objets simples, concrètement identifiables, ou des fragments de paysages radicalement tronqués mais dépourvus d'ambiguïté. Sur le cadre, qui fait partie intégrante du tableau et présente souvent un caractère massif, objectif, chaque motif est indiqué en grandes lettres, soulignant encore la prétendue clarté de la représentation. Cette observation s'applique aussi bien à ses "bad paintings" des débuts qu'aux "good paintings" qui ont vu le jour depuis 1971, mais qui partent de points de vue formels tout à fait différents. Les "bad paintings", comme "Girl and Doll", s'inscrivent dans un style pictural brut, d'une naïveté enfantine, qui tourne en dérision tout vestige de bon goût. Jenney s'éloignait ainsi du pop art et du minimal art et de leurs surfaces laquées, tout en accordant un nouvel intérêt au contenu. Il a été marqué par les débats politiques des années 60 et par la contestation à l'égard d'une société, dont le train de vie se reflète dans l'artificialité des néons illuminant d'interminables chaînes de supermarchés, et dans un univers médiatique dressé à respecter une propreté clinique. Ces influences ont conduit Jenney à propager une attitude d'opposition systématique, qui défend tout ce que l'on est censé devoir éviter.

6] Jeff Wall, "An Outline of A Context For Stephan Balkenhol's Work", in Catalogue d'exposition. *Stephan Balkenhol, à propos d'hommes et de sculptures.* Rotterdam 1993, p. 98 sq., ici p. 100-101.

In beiden Beispielen sind die Dinge isoliert und stehen in keinem räumlichen Zusammenhang. Der Bildinnenraum hat keine Tiefenausdehnung, er wirkt als monochrome, durch den Rahmen in seiner Dimension festgelegte Fläche. «Realistische» Malerei, so macht es Jenney deutlich, ist Konzeptmalerei; sie zeigt keinen Istzustand, sondern findet für eine Idee über die Wirklichkeit ein entsprechendes Bild.

8. Neil Jenney
Them and Us,
1969

Daß Balkenhol in Amerika so spontan erfolgreich war[7], mag bis zu einem gewissen Grad mit der Nähe zu hier erkennbaren Strukturen zu tun haben, wie sie auch Jenney formuliert. «The near and the far could have been anywhere, could have been our gas tank, our fields, our sky at home. Our yard had the same kind of weeds. Home could have been anywhere too.»[8] Diese für ein amerikanisches Lebensgefühl charakteristische Äußerung in einem Roman von Mona Simpson scheint auch auf Balkenhols Figuren zuzutreffen, die vor jeder individuellen Eigenschaft den zumindest in der westlichen Welt gängigen Begriff vertrauter Mittelmäßigkeit in sich vereinen. Eine nicht zu unterschätzende Differenz liegt jedoch in der Pointierung : Während Jenney und Simpson die objektive Vergleichbarkeit von allem und jedem meinen - etwa die Supermärkte mit ihren endlosen Regalreihen, in denen sich x-fache Variationen derselben geschmacklosen «Junkfoods» stapeln, die billig hochgezogenen Imbißketten und Tankstellen an öden Straßenkreuzungen im Nirgendwo oder die ausufernden Städte mit ihren gläsernen Hochhausgebirgen - bezieht sich Balkenhol eher auf den Jedermann, wie er bei Hugo von Hofmannsthal oder James Joyce thematisiert wird. Es ist nicht die Austauschbarkeit einer stets ähnlichen, präzisen äußeren Erscheinung, sondern gerade umgekehrt die stets gleiche Unbestimmtheit, die seine Figuren charakterisiert. In «Finnegans Wake» von Joyce figuriert die Hauptperson H.C. Earwicker in einer phantastischen Traumparabel als allumfassende, quasi-mythische Menschengestalt, als die er «Here comes Everybody», «Hircus Civis Eblanensis» und «Havith Childers Everywhere» heißen oder als Vater des ganzen Menschengeschlechts

7] So stieß etwa die Ausstellung, die Neal Benezra für das Hirshhorn Museum 1995 in Washington organisierte, auf große Resonanz. Vgl. hierzu auch den begleitenden Katalog *S. B.*, hrsg. von Neal Benezra, Hirshhorn Museum and Sculpture Garden Smithsonian Institution, Washington, D.C. in association with Cantz Verlag, Stuttgart 1995.

8] Mona Simpson, *Anywhere but here*, New York 1986, S.6.

Comme dans l'art pop, ses thèmes de représentation sont banals, mais à la différence de celui-ci, ils sont subjectifs, ils portent une empreinte personnelle ; ils ne racontent pas une histoire, mais évoquent simplement un bref instant de réalité. Sur une prairie verte qui remplit tout le tableau, une petite fille en robe et en chaussures rouges pleure à chaudes larmes sur une poupée cassée ("Girl and Doll"). Un chasseur bombardier américain et un chasseur-bombardier russe volent dans un ciel bleu ("Them and Us"). Dans ces deux exemples, les objets sont isolés et n'entretiennent aucune relation spatiale. L'espace intérieur de l'image n'a aucune profondeur, il fait l'effet d'une surface monochrome, dont le cadre définit les dimensions. La peinture "réaliste", affirme clairement Jenney, est une peinture conceptuelle ; elle ne présente pas quelque chose de réel, mais propose une image qui correspond à une idée de la réalité.

Le succès immédiat que Balkenhol a connu en Amérique[7] *tient peut-être, dans une certaine mesure, à ses affinités avec des structures que l'on perçoit également dans ce pays, et dont Jenney se fait lui aussi l'écho. "Le proche et le lointain auraient pu être n'importe où, ils auraient pu être notre réservoir d'essence, nos champs, le ciel de chez nous. Le même genre de mauvaises herbes poussaient dans notre jardin. Notre maison aurait pu être n'importe où, elle aussi."*[8] *Ces quelques lignes d'un roman de Mona Simpson reflètent bien un certain sentiment américain de l'existence, qui pourrait également s'appliquer aux personnages de Balkenhol. Avant toute particularité individuelle, ils incarnent en effet la notion courante, au moins dans le monde occidental, de médiocrité familière. Balkenhol se distingue cependant de Jenney et de Simpson en faisant porter l'accent sur autre chose. Ces derniers considèrent l'analogie objective qui existe entre tout et entre tous - les supermarchés avec leurs interminables rayonnages sur lesquels s'empilent d'infinies variantes des mêmes "junkfoods" insipides, les fast-foods construits à bas prix, les stations-services installées aux carrefours déserts du nulle part, ou les villes en constante expansion, avec leurs gratte-ciel comme autant de montagnes de verre... Balkenhol, quant à lui, se réfère plutôt à "Monsieur tout-le-monde", à ce Jedermann traité par Hugo von Hoffmansthal ou par James Joyce. Ce n'est pas le caractère interchangeable d'un aspect extérieur précis,*

7] L'exposition que Neal Benezra a organisée en 1995 pour le Hirshorn Museum de Washington a fait beaucoup de bruit. Voir aussi à ce sujet le catalogue de cette exposition : *Stephan Balkenhol*, éd. par Neal Benezra, Hirshhorn Museum and Sculpture Garden Smithsonian Institution, Washington D.C., en association avec Cantz Verlag.

8] Mona Simpson, *Anywhere but here*, New York, 1986, p. 6.

«Adam» sein kann. Damit wird er zur modernen Variante des mittelalterlichen «Jedermann», wie er von Hofmannsthal exemplarisch umformuliert wurde.[9] Beiden gemeinsam ist das Motiv der Erlösung, bei Hofmannsthal im Glauben, der den Reichen zur Sühne bringt, bei Joyce in der Figur der Frau, die Earwicker verzeiht, als sich alle anderen von ihm abwenden. Balkenhol, so könnte man hinzufügen, versöhnt uns irdische Jedermänner und -frauen mit dem Paradies. Es gibt keine Utopie, keine Jenseitssehnsucht mehr, die Engel kehren vielmehr in das irdische Arkadien zurück. Das «Goldene Zeitalter», das Matisse für die Malerei zurückeroberte, realisiert sich bei Balkenhol im Lob des Alltäglichen, im freundlich-liebenswerten Mittelmaß, das uns großäugig-staunend, naiv und selbstgewiß entgegentritt und mit entwaffnender Offenheit verkündet : «Da steh' ich nun, ich armer Tor, Und bin so klug als wie zuvor!»[10] ■

9] vgl. zum Jedermann-Thema allg.: *Lexikon des Mittelalters*, Bd.IV, München/Zürich 1989, Sp. 142-143. Zu James Joyce und Finnegans Wake, sowie Hugo von Hofmannsthals Fassung des "Jedermann" u.a. *Kindlers Literatur Lexikon*, Bd.9, S.3530-3533 bzw. S.4976-4977.

10] Johann Wolfgang Goethe, *Faust. Eine Tragödie*. Der Tragödie erster Teil. Nacht, V.358-359, in: *Goethes Werke*, Bd.III, S.21, hrsg. von Erich Trunz, Christian Wegner Verlag Hamburg 1959[4].

toujours identique, qui caractérise ses personnages, mais bien au contraire leur indétermination toujours identique. Dans "Finnegans Wake" de Joyce, le personnage principal, M. C. Earwicker s'inscrit dans une parabole onirique fantastique comme un être humain universel, quasi-mythique ; il peut s'appeler indifféremment "Here comes Everybody," "Hircus Civis Eblanensis", et "Havith Childers Everywhere" ou encore "Adam", père du genre humain tout entier. Il devient ainsi une variante moderne du Jedermann médiéval, dont Hofmannsthal a donné une interprétation exemplaire.[9] *Ils ont en commun le thème de la rédemption. Celle-ci réside, chez Hofmannsthal, dans la foi qui conduit le riche à l'expiation, chez Joyce, dans le personnage de la femme, qui pardonne à Earwicker, alors que tous les autres se détournent de lui. Balkenhol, pourrait-on ajouter, nous réconcilie, nous le commun des mortels, nous les "Jedermann", avec le paradis. Il n'y a plus d'utopie, plus de nostalgie de l'au-delà. Ce sont les anges qui reviennent dans l'Arcadie terrestre. L'"Age d'or", que Matisse a reconquis au profit de la peinture, se réalise chez Balkenhol dans l'éloge du quotidien, dans un ordinaire plaisant et aimable, qui se porte à notre rencontre étonnée, ouvrant de grands yeux, naïf et sûr de lui et nous annonce avec une franchise désarmante : "Et maintenant me voici là, pauvre fou, tout aussi sage que devant !"*[10] ■

9] Sur le thème de Jedermann en général, voir *Lexicon des Mittelalters*, vol. IV, Munich, Zurich 1989, p. 142-143. Sur James Joyce et Finnegans Wake, ainsi que sur la version de "Jedermann" de Hugo von Hofmannsthal, voir notamment *Kinders Literatur Lexikon*, vol. 9, p. 3530-3533 et 4976-4977.

10] Johann Wolfgang Goethe, *Faust*, "La Nuit", trad. Gérard de Nerval, Paris, Garnier-Flammarion, 1964, p. 47.

Stephan Balkenhol

Né le 10 février 1957 à Fritzlar/Hessen (Allemagne)
Vit et travaille à Karlsruhe (Allemagne) et Meisenthal (France)

Expositions personnelles
Sélection

1983
Art Cologne, Galerie Löhrl

1985
S.B. Skulpturen, Kunstraum, Hambourg
S.B. Skulpturen, Kunstverein, Bochum

1987
S.B. : Skulpturen und Zeichnungen,
Kunstverein, Braunschweig

1988
S.B., Kunsthalle Basel, Bâle ; Portikus, Francfort/Main ; Kunsthalle, Nuremberg

1989
S.B. : Skulpturen,
Galerie Rüdiger Schöttle, Munich
Kunsthalle, Nuremberg
S.B., Staatliche Kunsthalle, Baden-Baden

1990
Skulpturen und Zeichnungen,
Westwerk, Hambourg

1991
Six ours pour Paris,
Galerie Rüdiger Schöttle, Paris
S. B. : Skulpturen im Städelgarten,
Städtische Galerie im Städel, Francfort/Main
S.B., Galerie Johnen & Schöttle, Cologne
S.B., Kunstverein, Ulm
S.B., Irish Museum of Modern Art, Dublin
Mai 36 Galerie, Lucerne, Suisse (depuis 89)
Kunsthalle, Hambourg
Kunstverein, Mannheim

1992
S.B., Galerie Roger Pailhas, Paris, Marseille
S.B., über Menschen und Skulpturen,
Witte de With Center for Contemporary Art, Rotterdam

1993
S.B. : Vier Männer auf Bojen,
Kulturbehörde, Hambourg
S.B. : See Stücke, Kabinett für aktuelle Kunst, Bremerhaven, Allemagne
Kabinett für moderne Kunst, Hannover
S.B.: Skulpturen, Deweer Art Gallery, Otegem, Belgique (depuis 1987)
Commande publique, Amiens
S.B., Galerie Johnen & Schöttle, Cologne
S.B., Regen Projects, Los Angeles

1994
S.B. : Skulpturen und Zeichnungen,
Galerie Löhrl, Mönchengladbach (depuis 1984)
S.B. : Skulpturen, Kunstraum Neue Kunst, Hannover
S.B., Galerie Akinci, Amsterdam
S.B., Musée Départemental d'Art Contemporain de Rochechouart, Rochechouart ; Musée de Dôle, FRAC Franche Comté ; Solleville-lès-Rouen, FRAC Haute Normandie
S.B., Neue Nationalgalerie, Berlin
S.B. : Neue Arbeiten,
Galerie Dörrie & Priess, Hambourg
S.B. Skulpturen und Zeichnungen,
Mai 36 Galerie, Zürich
Kunstverein, Wolfsburg

1995
S.B., Barbara Gladstone Gallery, N. Y.
Kunst auf der Zugspitze, Bayerische Zugspitzbahn AG en collaboration avec la Kunsthalle de Nuremberg, Garmisch-Partenkirchen
Stephen Friedmann Gallery, London
S.B. Sculptures and Drawings, Hirshhorn Museum and Sculpture Garden,Washington

1996
Montreal Museum of Fine Arts, Montréal
Galerie Monica de Cardenas, Milan
Stephan Balkenhol at the Saatchi Collection, Londres
Commande publique, Karlsruhe
S.B., Galerie Bernd Klüser, Munich
S.B., Galerie Rüdiger Schöttle, Munich
S.B., CEAAC, Strasbourg

Commande publique du CEAAC,
au nom du Conseil Général du Bas-Rhin,
de l'œuvre "A travers l'arbre"
pour le Parc de Sculpture
Contemporaine de Pourtalès,
inaugurée le 30 mars 1996

Expositions collectives
Sélection

1985
Die Karl Schmidt-Rottluff Stipendiaten,
Ausstellungshallen Mathildenhöhe,
Darmstadt

1986
Jenisch-Park Skulptur, Hambourg
Momente -zum Thema Urbanität,
Kunstverein, Braunschweig
S.B., L.Gerdes, E. Karnauke,
Kasseler Kunstverein, Kassel
Deweer Art Gallery, Otegem, Belgique
Neue Deutsche Skulptur,
Internationaal Cultureel Centrum,
Anvers

1987
Neue Kunst in Hamburg,
Kampnagelfabrik, Hambourg
Skulptur Projekte Münster,
Westfälisches Landesmuseum, Munster
Een keuze : Hedendaagse kunst uit Europa/ Un choix : Art Contemporain d'Europe, Kunstrai 1987, Amsterdam
Eté de la Sculpture, Parc de la Pépinière,
Nancy
Exotische Welten-Europäische Phantasien, Württembergischer
Kunstverein, Stuttgart
S.B., Werner Kütz, Jan Vercruysse,
Galerie Johnen & Schöttle, Cologne
Theatergarten-Bestiarium,
Künstlerwerkstatt Lothringerstrasse,
Munich

1988
"Dorothea von Stetten - Kunstpreis 1988",
Städtisches Kunstmuseum, Bonn
Binationale : German Art of the Late 80's/American Art of the Late 80's" :
Städtische Kunsthalle, Düsseldorf ;
Kunstsammlung Nordrhein-Westfalen;
Kunstverein für die Rheinlande
und Westfalen ; The Institute
of Contemporary Art and the Museum
of Fine Arts, Boston

1989
Prospekt 89, Kunstverein und Schirn
Kunsthalle, Frankfurt/Main
4. Triennale der Kleinplastik,
Fellbach, Allemagne
Sei Artisti Tedeschi,
Castello di Rivara, Turin
Das goldene Zimmer,
Nymphenburger Schlosspark, Munich
Bremer Kunstpreis 1989,
Kunsthalle, Brême

1990
A New Necessity,
First Tyne International, Newcastle
Possible Worlds : Sculpture from Europe,
Institute of Contemporary Arts
and Serpentine Gallery/ICA, Londres

1991
Ansichten von Figur in der Moderne,
Städtisches Museen, Heilbronn, Allemagne
10 Jahre junge Kunst in Hamburg,
Kunstmuseum, Malmö, Suède
Seven Women, Andrea Rosen Gallery,
New York

Karl August Burckhardt-Koechlin-Fonds : Zeichnungen des 20. Jahrhunderts,
Kunstmuseum, Bâle
Zeitgenössische Kunst aus der Deutschen Bank : Skulptur, Zeichnung, Photographie,
Erholungshaus der Bayer AG, Leverkusen ;
Museum für Moderne Kunst, Bozen ;
Galerie Jahrhunderthalle, Hoechst
Hamburg Abroad, European Visual Arts Center, Ipswich, Angleterre

1992
Doubletake : Collective Memory and Current Art, Hayward Gallery, Londres; Kunsthalle, Vienne
Die 29. Austellung,
Mai 36 Galerie, Zürich
Current Art in Public Spaces,
EXPO'92, Séville
Tiere, Galerie Dörrie & Priess, Hambourg, Galerie Tröster & Schlüter, Francfort/Main
Double Identity, Galerie Johnen & Schöttle, Cologne
Post Human, FAE Musée d'Art Contemporain, Lausanne ;
Castello di Rivoli, Turin ; Deste Foundation for Contemporary Art, Athènes ; Deichtorhallen, Hambourg
Der gefrorene Leopard,
Galerie Bernd Klüser, Munich
Qui, Quoi, Où ? : un regard sur l'art en Allemagne en 1992, ARC, Paris

1993
Ludwig's Lust : Die Sammlung Irene und Peter Ludwig, Germanisches Nationalmuseum, Nuremberg
Gegenbilder, installation, Eglise Lamberti, Münster
Kalkhaven NL Dordrecht :51°48' - 04°40',
Centrum Beeldende Kunst, Dordrecht, Pays-Bas
Karl Schmidt - Rottluff Stipendium,
Städtische Kunsthalle, Düsseldorf

1994
Summer Group Show, Baumgartner Galleries, Washington
Das Jahrhundert der Multiple,
Deichtorhallen,Hambourg
The Day after Tomorrow : Lisbon, Cultural Capital of Europe 94,
Centro Cultural de Belém, Lisbone
Still Life, Barbara Gladstone Gallery, New York

1995
Philip Akkerman/Stephan Balkenbol,
Galerie Johnen & Schöttle, Cologne
Africus : Johannesburg Biennale 95,
Johannesbourg, Afrique du Sud
Zeichen & Wunder, Kunsthaus, Zürich
People, Galerie Monica de Cardenas, Milan

1995 Carnegie International, Pittsburgh, Pennsylvanie

1996
Cabines de bain, Fribourg, Suisse
Private View, Barnard Castel,
Bowes Museum, Country Turham, GB
ART 27/96, Bâle, Suisse

Bibliographie
Sélection

1983
Dietrich Helms,
Impulse 1, Galerie Löhrl, Mönchengladbach

1985
Ulrich Rückriem,
S.B. : Skulpturen, Mathildenhöhe, Darmstadt
Karl Schmidt-Rottluff Förderungsstiftung, 1985, Berlin

1986
Bernd Ernsting,
Jenisch-Park Skulptur, Hambourg

1987
Wilhelm Bojescul, Ludger Gerdes,
Stephan Balkenhol, Skulpturen und Zeichnungen, Kunstverein, Braunschweig
Günther Gercken,
Neue Kunst in Hamburg, Hambourg
Klaus Bussmann, Kasper König,
Skulptur Projekte Münster,
DuMont Verlag, Cologne

1988
Jean-Christophe Ammann, Jeff Wall,
Stephan Balkenhol, Kunsthalle, Bâle
Dieter Koepplin,
Dorothea von Stetten-Kunstpreis 1988,
Städtisches Kunstmuseum, Bonn
Interview de Marie Luise Syring et Christiane Vielhaber,
Binationale : German Art of the Late 80's/American Art of the Late 80's,
DuMont Verlag, Cologne

1989
Günther Gercken,
Bremer Kunstpreis 1989, Brême
Stifterkreis Bremer Kunstpreis,
1989, Brême
Rüdiger Schöttle,
Das Goldene Zimmer, Kunstverein, Munich
Sei Artisti Tedeschi, Brochure, Turin
Dirk Tember,
S.B., Staatliche Kunsthalle, Baden-Baden

1990
Interview par Iwona Blazwick, James Lingwood et Andrea Schlieker,
Possible Worlds : Sculpture from Europe,
Institut of Contemporary Arts and Serpentine Gallery, Londres
Stephan Balkenhol : Zeichnungen 1990 und Entwürfe für Skulpturen,
Deweer Art Gallery, Otegem

1991
Biographie de Patricia Nussbaum,
Karl August Burckhardt-Koechlin-Fonds : Zeichnungen des 20. Jahrhundert,
Kunstmuseum, Bâle
Stephan Balkenhol, Brochure,
Galerie Johnen & Schöttle, Cologne
Jörg Johnen,
S. B., Brochure, Irish Museum of Modern Art, Dublin
Klaus Gallwitz, Ursula Grzechca-Mohr,
Stephan Balkenhol : Skulpturen im Städelgarten, Städtische Galerie im Städel, Francfort
Karlheinz Nowald,
Ansichten von Figur in der Moderne,
Städtische Museen, Heilbronn
Martin Stather,
S. B.: Köpfe, Galerie Löhrl,
Mönchengladbach

1992
Lynne Cooke, Bice Curiger and Greg Hilty,
Doubletake, Collective Memory and Current Art, Hayward Gallery, Londres :
South Bank Centre/*Parkett*, 1992
Stephan Balkenhol, James Lingwood et Jeff Wall ; interview de Ulrich Rückriem et Thomas Schütte,
S. B., über Menschen und Skulpturen,
Witte de With Center for Contemporary Art, Edition Cantz, Stuttgart

1993
Achim Könneke, Stephan Balkenhol :
Vier Männer auf Bojen, Kulturbehörde,
Hambourg
Margret Ribbert,
Ludwig's Lust : Die Sammlung Irene und Peter Ludwig,
Germanisches Nationalmuseum,
Nuremberg

1994
Britta Schmitz,
Stephan Balkenhol : Skulpturen,
Neue Nationalgalerie, Berlin
Helmut Friedel,
The Day after Tomorrow ; Lisbon Cultural Capital of Europe 94, Centro Cultural de Belèm, Lisbonne

Susanne Pfleger et Klaus Hoffmann,
Stephan Balkenhol :
Skulpturen und Zeichnungen,
Mönchengladbach
Alexandra Midal (interview)
et Frédéric Migayrou,
Stephan Balkenhol,
Musée Départemental
d'Art Contemporain, Rochechouart

1995
Lucius Grisebach,
Kunst auf der Zugspitze,
Garmisch-Partenkirchen
Klaus Gallwitz,
Africus : Johannesburg Biennale 95,
Johannesbourg, Afrique du Sud
James T. Demetrion, Neal Benezra,
Stephan Balkenhol Sculptures
and Drawings, Hirshhorn Museum,
Washington

Articles de presse

Ammann, Jean-Christophe,
"S.B. : 57 Pinguine",
Parkett 36 (1993) : 66-69
Ammann, Jean-Christophe
et Horst Schmitter,
"57 Pinguine suchen 57 Freunde",
advertisement, *Frankfurter Allgemeine Zeitung*, 30 Avril 1992, n° 101, 11
Ardenne, Paul,
"S.B.", Galerie Roger Pailhas, Paris,
Art Press, n° 175, Décembre 1992
Benezra, Neal,
"S. B. : Die Figur als stummer Zeuge",
Parkett 36 (1993)
Beyer, Lucie,
"Stephan Balkenhol, Werner Kutz,
Jan Vercruysse",
Galerie Johnen & Schöttle,
Cologne,
Flash Art, n° 137,
Novembre-Décembre1987
Bourriaud, Nicholas,
"Figuration in an Age of Violence",
Flash Art 25, n° 162, Janvier-Février 1992
Brenken, Anna,
"Stephan Balkenhol, Bildhauer",
Art : *Das Kunstmagazin* 1,
Janvier 1989
Cork, Richard,
"Do You See What I See ?",
Hayward Gallery, Londres, *Times,*
28 février 1992
Life and Times section
Crüwell-Doertenbach, Konstanze,
"S.B.", *Nike,* n° 27, Avril 1989
Czöppan, Gabi,
"Menschen wie Du und Ich",
Pan, (mars 1992)
Fleming, Lee
"Worthy of Their Big Names",
Baumgartner Galleries, *Washington Post,*
13 août 1994
Flemming, H. Th.,
"Gesichter aus Buche und Pappel
geschnitzt",
Hamburger Kunsthalle, *Die Welt,*
12 mars 1992
Frick, Thomas,
"S.B at Regen Projects", Regen Projects,
Los Angeles, *Art in America* 82, n° 6,
06/94
Glueck, Grace,
"Mutant Materials (but No Rogue Genes) :
Notes, Letters and Typographic
Wackiness", *New York Observer,*
19 juin 95
Gourmelon, Mo,
"S.B", Musée Départemental d'Art
Contemporain de Rochechouart,
Beaux-Arts Magazine, n° 125,
Juillet-août 1994
Hegewisch, Katharina,
"S.B : Vom Ewigen im Zeitgemässen",
Kunstbulletin 9, Septembre 1991
Hierholzer, Michael,
"Bildkritik mit Malerischen Mitteln

und die Befreiung des Lichts :
Der sechste Szenenwechsel im Museum
für Moderne Kunst." ,
Frankfurter Allgemeine Sonntagszeitung,
12 juin 1994
Hohmeyer, Jürgen,
"Götzen wie Du und Ich",
Der Spiegel 47 (1991)
"Szenenwechsel", *Kunstforum*
International 120,
novembre-décembre 1992
Huther, Christian,
"S.B.", Kunsthalle Basel,
Das Kunstwerk 41, (89-90)
Karmel, Pepe,
"S.B.", Barbara Gladstone Gallery,
New York, *New York Times*, 30/12/94
Katz, Max,
"Autonomous People/Autonome
Menschen, *Parkett* 36, (1993)
Koepplin, Dieter,
"S.B.", *Parkett* 22, 1989
Magnani, Gregorio,
"This Is Not Conceptual",
Flash Art, n° 145, Mars-avril 1989
Messler, Norbert,
"Stephan Balkenhol",
Galerie Johnen & Schöttle, Cologne.
Artforum 30, novembre 1991
"Stephan Balkenhol",
Galerie Johnen & Schöttle, Cologne,
Artforum 32
(décembre 1993)
Muniz, Vik,
"As Time Goes By/ Im Lauf der Zeit",
Parkett 36, (1993)
Richie, Matthew,
"Still Life",
Barbara Gladstone Gallery, New York,
Flash Art 28 , (mars-avril 1995)
Searle, Adrian,
"Not Waving, Not Drowning",
Frieze 4, (avril-mai 1992)
"Cumulus Aus Europa", *Parkett* 38,
(Décembre 1993)
Sello, Gottfried,
"Holzköpfe",
Kunsthalle, Hambourg, *Die Zeit,*
20 mars 1992
"Stephan Balkenhol",
Musée de Dôle, *Art & Aktoer* n°7,
(octobre- décembre 1994)
"Stephan Balkenhol",
Musée de Dôle, *L'Art Scène*, n°3
(octobre 5-11,1994)
"S.B. : La vie qui naît du bois",
Musée de Dôle, *L'Est Républicain*,
26 novembre 1994
Stringer, Robin,
"Why Cant You Dummies
Just Let Me Be Alone ?",
Hayward Gallery, Londres,
Evening Standard, 28 février 1992
Teuber, Dirk,
"Die Kraft der Einfachheit :
Zum Werk S.B.", *Weltkunst* 21,
(novembre 1993)
Vergne, Philippe,
"S.B. : De l'autre côté du miroir",
Interview, *Parachute* 72 (1993)
Vogel, Sabine B,
"Querblicke",
Kunsthalle Basel, *Wolkenkratzer Art*
Journal 6, Novembre-Décembre 1988
Walser, Alissa ,
"Jedes Gesicht eröffnet einen Raum",
Art : *Das Kunstmagazin* 2, (février 1994)
Welzer, Harald,
"Über Stephan Balkenhol",
Artist Kunstmagazin, (mars 1994)
Winter, Peter,
"Baum-Menschen",
Kunstverein Braunschweig, *Frankfurter*
Allgemeine, 10 Mars 1987, n° 58

Crédits Photographiques
Fotonachweisen

Photo. Mario Gastinger,
München; courtesy Galerie
Rüdiger Schöttle
Couverture/Buchvorderseite :

Photo. Mario Gastinger,
Photographic, Munich,
courtesy Galerie Bernd Klüser
Dos de la couverture/
Buchrückseite :

Photo. Stephan Balkenhol :
page 29, 93

Photo. Klaus Stöber,
Strasbourg; courtesy CEAAC :
pages 2, 81, 82, 88, 109, 120

Photo. Mario Gastinger,
München; courtesy
Galerie Bernd Klüser :
pages 12, 13, 14, 15, 16, 33, 34,
35, 36, 37, 39, 40, 41, 42

Photo. Mario Gastinger,
München; courtesy
Galerie Rüdiger Schöttle :
pages 4, 11, 98, 99, 100,
101, 103

Artists Rights Society (ARS),
New York; *Trunk*
de Richard Serra :
page 47

Cantz Verlag, Stuttgart :
pages 28 & 29, fig 1 & 2

Philadelphia Museum of Art;
autorisation de reproduction
de *Homme au mouton*
de Pablo Picasso :
page 69

Bayerische
Staatsgemäldesammlungen :
page 90, (fig 1); page 91, (fig 2)

Courtesy Staatliche Museen,
Antiken Sammlung, Berlin :
page 92, (fig 3)

Courtesy Galleria Henze,
Campione d'Italia; photo de
«Nackte, mit untergeschlagenen
Beinen sitzenden Frau»
de Ernst Ludwig Kirchner :
page 94, (fig 5)

Courtesy Tate Gallery,
Londres;
Photo de *Ohne Titel*
(Sans titre)
de Georg Baselitz,
(fig 6), 1982/83 :
page 95

Courtesy Thomas
Ammann, Zürich :
photo de
«Girl and doll»
de Neil Jenney :
page 104, (fig 7)

Courtesy The Museum
of Modern Art,
New York,
photo. de «Them and Us»
de Neil Jenney :
page 105, (fig 8)

Iconographie

en couverture/Buchvorderseite :
«Kleine Frauenfigur»,
idem page 99
Collection/*Sammlung* :
Viviene et Horst Schmitter
dos/Buchrückseite :
«Große Relieftafel (rot)», «*Grand tableau-relief (rouge)*», 1996,
Pappelholz, bemalt, *peuplier peint*,
228 x 66,5 x 5 cm

page 2 :
Stephan Balkenhol,
«A travers l'arbre»
«*Durch den Baum*», (détail),
Bubinga
sculpté en réserve
et peint/*Im Bubingabaum geschnitzt und bemalt.*
H : 240 cm/diamètre : 220 cm
Parc de Sculpture
Contemporaine de Pourtalès,
1996, CEAAC,
Strasbourg-Robertsau

Page 6 :
Stephan Balkenhol,
dessin sur papier Bristol,
Zeichnung auf glatte Pappkarte,
Crayons couleurs et encre bleue,
blaue Tinte und bunte Farbstifte,
14,2 x 20,9 cm, mars 1996,
réalisé à l'occasion
de la commande publique
du CEAAC,
Anläßlich des öffentlischen Auftrags des CEAAC
pour le/*für den*,
Parc de Sculpture Contemporaine
de Pourtalès, courtesy CEAAC

page 28 : (fig 1) :
Ohne Titel, (Wohin mit den Armen)/*Sans titre (Où placer les bras)*, 1983, crayon sur papier/*Bleistift auf Papier,*
21 x 14,8 cm,
collection de l'artiste/*Sammlung des Künstlers*. Extrait du catalogue/*Auszug aus dem Katalog : S.B., über Menschen und Skulpturen*, 1992, Rotterdam,
Cantz Verlag

page 29 : (fig 2) :
Kouros grec, photo. S.B.;
collection/*Sammlung :*
Glyptothek, Munich
Extrait du catalogue,
Auszug aus dem Katalog : S.B., über Menschen und Skulpturen, 1992,
Rotterdam,
Cantz Verlag

page 33 :
cf photographie «Mann mit Greifvogel»
page 36

page 47 : (fig 3) :
Trunk de Richard Serra (1987),
2 plaques en acier corten,
2 Stahlplatten
(589,3 x 510,5 x 5,4cm).
Exposition/*Austellung :*
«Skulptur Projekte Münster»

Pages 58 à 63 :
dessins de S. B. pour la présente édition/*Zeichnungen von S.B. für dieser Ausgabe,*
juin 1996, crayon sur papier,
Bleistift auf Papier,
(29,5 x 24,5 cm)

page 69 : (fig 4) :
Pablo Picasso,
«Homme au mouton», 1943-44,
bronze, (201,9 cm)
Philadelphia Museum of Art,
Pennsylvania ;
Don/*Schenkung :*
R. Sturgis et Marion B.F.,
Ingersoll.

Page 82 :
S. B., «A travers l'arbre»
(détail), (idem page 2)

page 87 :
S.B., «A travers l'arbre»
(idem page 2)

Page 88 :
S.B., «Paravent (Hommes et fourmis)» /«*Paravant» (Männer und Ameisen)*»,
(détail) 1996, Pappelholz bemalt,
cf page 100

page 92 :
3. Kresilas : «Verwundete Amazone»/«*Amazone blessée*»
gegen 430 v. Chr.
Römische Kopie/*copie romaine*
Berlin, Staatliche Museen,
Antiken-Sammlung

page 93 :
4. S.B. Ohne Titel/*Sans titre*
1978/79, collection de l'artiste,
Besitz des Künstlers

page 95 :
5. Georg Baselitz : Ohne Titel,
Sans titre, 1982/83
Tate gallery, London

page 94 :
6. Ernst Ludwig Kirchner :
«Nackte, mit untergeschlagenen Beinen sitzende Frau»,
«*Nue aux jambes repliées sous elle*», 1912
Galleria Henze,
Campione d'Italia

page 105 :
8. Neil Jenney «Them and Us»,
1969
The Museum of Modern Art,
New York
Gift of Louis G.
and Susan B. Reese

Page 109 :
Photographie de l'atelier
de S.B. à Meisenthal
en cours de travail, mai 1996

page 120 :
S.B. dans son atelier
de Meisenthal,
S.B. in seinem Atelier in Meisenthal, mai 1996

Remerciements

Dank an :

Leihgaben :

Vivienne et Horst Schmitter
pour le prêt de "Kleine Frauen Figuren"
pour l'exposition
du CEAAC à Strasbourg
pendant l'été 96

Peter M. Hermann,
pour le prêt de «Mann mit Lamm»

Rolf Glöckler,
pour le prêt de «Mann mit Fisch»

Sammlung von der Recke,
pour le prêt de «Mann auf Schildkröten»

Privatsammlung, München,
pour le prêt de «Mann mit Greifvogel»

Neal Benezra
pour son aimable autorisation
de traduction
et reproduction
de son texte du catalogue
de l'exposition
"S B. Sculptures and Drawings"
du Hirshhorn Museum
and Sculpture Garden.
Smithsonian Institution,
Washington, D.C.
en association
avec Cantz Publishers,
Stuttgart.
Daß er die Übersetzung und Wiedergabe seines Textes im Austellungskatalog freundlich genehmigt hat.

François Liotet,
Directeur du CROUS,
pour la mise
à disposition
du site
«A travers l'arbre».
Für die Überlassung des Stamdorts für «Durch den Baum».

Markus Hartmann,
Cantz Verlag, Ostfildern
pour son aimable
autorisation
pour la traduction
en français et en allemand
du texte de Neal Benezra
Daß er die deutsch-französische Übersetzung des Textes von Neal Benezra genehmigt hat.

Mrs Jane McAllister,
Publications Manager,
Hirshhorn Museum
and Sculpture Garden,
Smithsonian Institution,
Washington ;
autorisation
de reproduction
Reproduktions Genehmigungen
des fig. 9 et 10
de la page 29
du catalogue S.B.,
Sculptures and Drawings

Caroline Demaree,
Philadelphia Museum of Art :
autorisation de reproduction,
Reproduktions Genehmigung
photographie : de «Homme au mouton» de Picasso

Elisabeth M. Weisberg,
Artists Rights Society,
autorisation de reproduction,
Reproductions Genehmigung,
de *Trunk* de Richard Serra.

M. Jean-Pierre Beck :
Chargé de la protection
des Monuments Historiques,
DRAC Alsace, Strasbourg,
pour les informations
concernant les techniques
de relief / *Für die Informationen über die Technik des Relief*

Sabine Ripp, Verena Klüser,
Béatrice Talmon-Hacquard,
pour leur aide/*für ihre Hilfe*

Le Comité technique
du CEAAC

Robert Grossmann,
Président

Jean-Yves Bainier,
Conseiller
aux Arts-Plastiques
auprès de la DRAC Alsace

Jean-Pierre Greff,
Directeur de l'Ecole
des Arts Décoratifs
de Strasbourg

Sylvie Lecoq-Ramond,
Conservatrice
du Musée Unterlinden
de Colmar

Claude Rossignol,
Critique d'art

Evelyne Schmitt,
Conseillère
pour les Musées
auprès de la DRAC Alsace

Otto Teichert,
Directeur de l'Ecole
du Quai (Beaux-Arts),
Mulhouse

Cet ouvrage est édité
par le Centre Européen
d'Actions Artistiques
Contemporaines,
la Galerie Bernd Klüser
et la Galerie Rüdiger
Schöttle à l'occasion
des expositions
de Stephan Balkenhol
présentées au printemps
à Munich, dans les Galeries
Bernd Klüser et Rüdiger
Schöttle et à l'été 1996
à Strasbourg,
au Centre d'Art du CEAAC.

*Dieses Katalogbuch über
Stephan Balkenhols
Werke wurde vom
Centre Européen d'Actions
Artistiques Contemporaines
in Zusammenarbeit mit den
Galerien Bernd Klüser
und Rüdiger Schöttle
herausgegeben, anläßlich
seiner Austellungen im
letzten Frühling in
München in den Galerien
Bernd Klüser
und Rüdiger Schöttle
und im Sommer 1996
in Straßburg im
Kunstzentrum des CEAAC.*

Le CEAAC
bénéficie principalement
pour ses activités
du soutien
du Conseil Général
du Bas-Rhin
et de la Région Alsace.

Conception et coordination
générale de l'exposition
Stephan Balkenhol au CEAAC
et de la présente édition,
Gestaltung :
Loux Evelyne,
secrétaire générale du CEAAC.

Textes :
Robert Grossmann,
Président du CEAAC;
Neal Benezra,
Conservateur en Chef
du Hirshhorn Museum,
Washington;
Paul Guérin,
Chargé de mission du CEAAC;
Carla Schulz-Hoffmann,
Landeskonservatorin, München.

Traducteurs/*Übersetzer* :
Andrea Muller :
préface de Robert Grossmann
et texte de Paul Guérin
Traductions du texte
de Neal Benezra :
Brigitte Ch. Müller
pour la version allemande
Véronique Schaffhold
pour la version française
Traduction française du texte
de Carla Schulz-Hoffmann :
Odile Demange

Conception graphique :
Thierry Courreau

Photocomposition :
Point à la ligne,
Strasbourg

Imprimé sur les pressesde
l'imprimerie Bahy,
Wittenheim, France

I.S.B.N. pour la France :
2-910036-13-8
I.S.B.N. pour l'Allemagne :
3-925219-18-8

Galerie Bernd Klüser
Georgenstr. 15
80799 München

Galerie Rüdiger Schöttle
Martiusstrasse 7
80802 München

**Centre Européen d'Actions
Artistiques Contemporaines**
7, rue de l'Abreuvoir
67000 Strasbourg

Une série limitée de 60 exemplaires
comprenant une lithographie originale de Stephan Balkenhol numérotée de 1 à 60
a été éditée à l'occasion de l'édition du présent catalogue